文史哲詩叢之二十六

祖露心靈

汪洋萍著

文史哲出版社印行

國家圖書館出版品預行編目資料

祖露心靈 / 汪洋萍著. -- 初版. -- 臺北市 : 文史哲, 民86
面 : 公分. -- (文史哲詩叢 ; 26)

ISBN 957-549-112-2(平裝)

851.486　　86016034

文史哲詩叢 ㉖

祖露心靈

編著者：汪洋萍
出版者：文史哲出版社
登記證字號：行政院新聞局版臺業字五三三七號
發行人：彭正雄
發行所：文史哲出版社
印刷者：文史哲出版社
臺北市羅斯福路一段七十二巷四號
郵政劃撥帳號：一六一八〇一七五
電話 886-2-23511028・傳眞 886-2-23965656

實價新臺幣二四〇元

中華民國八十六年十二月初版

ISBN 957-549-112-2

表達自己的心聲
探討普遍的真理
尋求理性的共識
摹擬共同的願望

自序

這本「祖露心靈」的詩文合集，是我繼「心影集」、「心聲集」兩本詩集，及「萬里江山故園情」、「生命履痕」兩本散文集之後的第五本書。從「心影」、「心聲」、「心情」、「生命」及「心靈」這些書名可知，有其一致性與連貫性。這五本書寫作的流程歷二十年，出版時間跨七個年頭，內容卻涵蓋我七十年的生命歲月，是我的心靈遨遊大千世界的「寫眞集」，是我執著的心靈，在多變的時空裡，所呈現的語言及影像。

「祖露心靈」這本書，分爲卷一：詩情；卷二：文愫。詩情部分，選入近幾年詩作五十首，大半在報刊發表過，其中有些再略加修改。我始終認爲詩是心靈的語言，以表達自己的思想與情感，作爲與別人心靈溝通的橋樑，以增進彼此生活的情趣，及人際關係的和諧與共識。因此，我寫詩不求新奇、詭異，不帶什麼主義、什麼派的色彩或光環，不是爲想做詩人而寫詩；只以眞情實感，運用社會大衆能理解的詞彙，表達我的心意，希望讀者能看透我的內心世界。而不願與讀者玩捉迷藏，或做猜謎遊戲。

文愫部分，有我寫給長官和親友的十五封信及親友的回響。五年以來，我與長官和親友往來信函有六百多封，彼此坦誠相待，互通訊息，情感交流，有許多來信文情並茂，感人至深。因篇幅所限，又顧慮信中涉及的人和事，披露以後，會帶給相關人士的困擾，故只選幾封原函製版刊出。

除信函之外，尚有幾篇徵文作品及讀書心得。徵文作品，雖未獲得評審先生的肯定，卻是我的由衷之言，是我心靈的吶喊、反省與期盼。讀書心得是我與作者心靈的共鳴。殿後的是我的遺囑交代後事。

走過這個大時代變化莫測的七十年，歷經險阻艱辛，我一直袒露著心靈，在茫茫人海，摸索前進，與人交往，與人共事，平安地走過漫長的生命旅程。也許是獲得別人的信任，能化危機爲轉機，化阻力爲助力，使我得到的超過我的預期。我懷念過去患難之交的情誼，對現實生活也很滿足，而心存感恩。

有人說，作家是人類靈魂的工程師，又有人說，文學是人類的精神食糧。審視今日世界的人文生態，有許多人靈魂出竅，胡作非爲，又有更多的人，精神陷於飢渴、頹廢、狂妄，社會百病叢生，是不是有些靈魂的工程師，患了精神分裂症？精神食糧的供需與品質都出了問題？我不敢以作家自居，我的詩文作品，也不是市面上流行那些，能麻痺神經或產生幻覺的精神食糧。

這本小書裡的詩文，是我爲安頓自己靈魂所建構的小小安樂窩；是我爲供應自己

這本小書裡的詩文，是我爲安頓自己靈魂所建構的小小安樂窩；是我爲供應自己精神營養的餐點：能使我悅目怡情、提神醒腦、降肝火、增加免疫力，對時下大流行的時髦病症候群，有預防感染及感染後根治的效果。想安頓靈魂及維護精神健康的朋友們，不妨親臨感受安樂窩雲淡風輕，泥土芬芳的情趣，品嚐餐點略帶苦澀回甘的風味。進而袒露心靈，面對無常的人生，執著自己的生涯規劃。期盼高明給我指教，俾與讀者一同從中受益。

袒露心靈 目錄

卷一 詩情

卷二 文愫

附錄

卷一 詩情

卷一　詩情

I Q與E Q

I Q與E Q
是孿生兄弟
哥哥I Q聰明
舉一反三
有時聰明過度
挖空心思
計算別人
有時異想天開
弄得自己
灰頭土臉

弟弟EQ老實
待人誠懇
處事圓融
婚姻幸福
家庭美滿
事業一帆風順
人人欣羡
齊聲稱頌

如果
他們兄弟
同心協力共創未來
地球村的居民
就會遠離災難
百福臨門

彌勒佛

敞胸袒腹
笑口常開
在這凶年亂世
一點都不煩憂
哪裡學來的功夫？

哦，我明白了！
以包容的心
把愁苦吞入肚內
幾經咀嚼
便成喜樂

忘我的境界

一

愛因斯坦
下班後想回家
卻忘了家住那裡
因為
他腦子裡裝滿了
「相對論」
又擠進許多
宇宙的奥秘
容不下自己的
私事

二

有些人
走過逆境和順境

嘗盡苦辣酸甜
能做的
都做了
該付出的
也已付出
了悟人生
神遊域外
悠然忘我

三

忘了自己是
父母的兒女
忘了自己是
兒女的父母
他們的心靈
被貪婪腐蝕
他們的腦海
被罪惡填滿

迷失了自己
忘記了自己

昨夜

昨夜
我飛上雲霄
進入夢想已久的
天堂

耶穌冷冷地說：
你敬鬼神而遠之
非我信徒

佛祖慈祥地說：
你六根未淨
快回去吧

李白正醉吟清平調

對我喝斥：
那來的俗人？快滾！
國父孫中山先生慰勉我：
孩子，我明你的來意
你現在屬於弱勢族群
要忍耐　要堅強
……
……
一聲雞鳴
把我喚回
凡塵
百感交集

丁丑除夕

一長串除夕
數一數
六十九
再回味
有苦有辣有酸甜

打開記憶網路
我敞開的虔誠之心
我伸出的友誼之手
都得到溫馨的
回應

電話鈴聲陣陣響
是親友傳來

關懷與祝福
我心中除了喜悅
盡是感恩

隱　衷

有人說我：
不夠瀟灑
沒有浪漫情懷
缺乏詩人氣質
不懂享受人生
白白來人間走一趟

我經常盤查
懷中的那本流水帳
怕負債大於資產
愧對祖先
超享子孫福
帶一身罪孽進地獄

憶牛哥

我家有條老牛
一家人尊稱牠牛哥
是我家重要的一員
與我們一同作息

清晨我帶牠上山吃草
我坐一旁溫習功課
等牠吃飽再領牠回家
我背書包上學

下午放學回家
我將一天的牛糞
做成一個個大餅
貼在牆上晒乾作肥料

做完洗過手　還殘留
淡淡的青草香

我想起與村鄰牧童
騎在牛背上唱山歌的樂趣
就為現今的飆車族難過

說夢

我作一輩子夢
好夢總是
難圓
惡夢卻很
靈驗

好夢
惡夢
夜夜依然
不招自來
揮之不去
就讓它
消磨漫漫長夜

我從來不作
白日夢
一直努力經營
現實人生
雖沒有輝煌
業績
還算對得起
良心

終點
眼看已近
必能安然到達
該不是
夢

牽手

走過千山萬水
來到這天涯海角
與妳牽手

共度坎坷歲月
同嘗苦辣酸甜
才知人生滋味

風已停
雨也止
眼前一片亮麗

海闊天空
相偕享受

17 牽 手

晚霞夕照好光景
倘有來生
但願與妳
再牽手

電話傳情

電話鈴聲響起
我心裡就有感應
電線的另一端
果然傳來
那悅耳的聲音

我以為
是要對我說悄悄話
聽到的卻是
一聲撼我心弦的
嘆息

我明白
那聲嘆息

19 電話傳情

含真情　至愛
是關懷　期盼

夏夜抒懷

炎陽囂張而去
驕氣仍然炙熱
開冷氣　吹電扇
多耗電呀
核四懷胎多年難產
供電一天天吃緊
能省就省點吧
免受停電之苦

我端張椅子
坐在靠曠野的窗户
晚風為我搖扇
夜鶯在林間演奏名曲
蛙兒在田野大合唱

21　夏夜抒懷

螢火蟲忙著布置燈光
我樂在其中
清涼一夏

弔落英

妳曾
艷麗過
芬芳過
迎風招展過

於今
受時光折磨
從花瓶跌落案頭
悽然躺臥

我暗然感傷
將妳移置盆栽裡
願妳化作花泥
孕育艷麗芬芳

羨 雲

你自由自在
遨遊長空
興趣來時
在天幕上
任意揮洒
那多彩多姿
動感的寫意畫
使人羨煞

你慈悲心發
化身為甘霖
滋潤大地
使萬物生機勃發
衆生樂得笑哈哈

袒露心靈　24

如果任由我選擇
我願放棄
人世間的一切
追隨你
成為一片雲

花之頌

妳的
繽紛顏采
百態千姿
豐富了世界
美化了人間

畫家描繪妳
詩人讚美妳
眾生見妳
心生喜悅
妳是友誼的使者
愛情的橋樑

妳不媚而嬌

袒露心靈 26

不言而喻
妳的風韻
妳的魅力
誰能與比

蓮荷頌

名蓮
名荷
是同根生
以不同的姿態
展現高雅的風韻
不為取悅於人
是表達
生命的意義
是貢獻
生命的價值

粒粒圓潤的蓮子
要實現它的美夢
入食入藥

為人們養生卻病
或鑽進泥土轉世
孕育荷葉　荷花
美化自然風景
長出蓮蓬　蓮藕
供人欣賞食用
在讚美聲中
不斷輪迴
而得永生

樹說

我營造
大自然生機
蘊蓄生命源泉
使大地蒼翠
繁花似錦
芬芳四溢
結甘美的果實
供養眾生

或為棟樑
抑作柴薪
無私無我地
奉獻

萬物之靈的人們啊！
無情地破壞
生態環境
又相互無休止的
鬥爭
怎不感到羞愧!?

果樹的心情

我吸取大地
靈氣
接收日月
精華
調製各種美味
養生上品
密封包裝
供養眾生

不是施恩
不望回報
只為成全
大自然造化之功

受惠者
以怨報德
污染自然環境
大地靈氣
漸變質
日月精華
已含毒
可憐的人們啊！
將自食惡果

我先受害
有苦無處訴
只得默默承受
我更擔心
當我無能製造
花果
人間將成為

什麼樣的
世界

門的願望

世風日下
我的身價節節升高
愈是富豪權貴
愈要巴結我
也許有人認為
現在我很風光

我歷盡滄桑
蓬門
柴門
玻璃門
鐵門
處境一天比一天險惡
日夜提心吊膽

35 門的願望

我盼望有一天
孔夫子的教化大行
家家夜不閉户
我可悠然靜觀
芸芸眾生皆自得

文房四寶的隱憂

我們是個有使命感的
族群
協力推動文明進化的
巨輪
負載著累積的
是非功過

一代代新人類
視為沉重的包袱
總想丟棄
包袱裡雖有糟粕
卻有更多的珠玉
拋珠棄玉豈是智者

打字機　電腦
不斷攻城掠地
視訊網路
更想取而代之
我們的路愈走愈窄
終將被趕進博物館

玉的心聲

我在名山修煉
也曾於川底潛藏
本名璞
只想隱居林泉

被慕名者尋獲
備極禮遇
凡我族類
均受榮寵
至尊者
位登國璽
或風光於殿堂
或得意於閨閣
或知交於淑士

於今
與盜名欺世者
混跡市廛
淪為愚者的玩物
撫今追昔
情何以堪！
情何以堪！

靈魂之窗的悲嘆

打開窗户
一群群妖魔鬼怪
有的執筆狂嘯
　嬉笑怒駡
有的揮舞刀槍
　巧取豪奪
有的手牽金牛
　像翻書樣的變臉
還有説不完的怪現象
從電視螢光幕
　平版印刷品
投射而入
我關上窗門心有餘悸

在團團迷霧中
善良的芸芸眾生
仍在默默為理想耕耘
可悲的是
他們淪為弱勢族群
有志難伸

愛神的傾訴

到處都有
歡迎我的
廣告　招貼
我登門拜訪
卻被惡犬攔阻

權貴和富豪
齊聲歌頌我
又緊閉心扉
拒絕我進入

科學愈發達
物質愈文明
生活愈富足

我愈被歧視

人們一天天
疏離我
茫然奔向
苦海
我愛莫能助
奈何！
奈何！

愛的詮釋

愛無以名狀
　難以捉摸
人人夢寐以求
卻難滿足

如果
一定要追問
愛是什麼？
我姑擬答案：
愛是真心的關懷
　不望回報的付出
愛生長於心田
　浮沉於腦海

有時柔弱似水
時而堅如鐵石
假愛是迷魂藥
真愛能療飢止渴
療傷止痛

手語·手籲

說話
雖不是我分內事
但我樂意扮演
語言表達的角色
心靈溝通的橋樑
為這個
不完美的世界
增添些許情趣

雙手萬能
是讚語也是貶詞
為善為惡都不是我的主意
我只是被操縱的工具
受讚美我固然欣喜

被唾罵我實感委屈
我的至尊主宰啊！
利己利人的事
儘量吩咐我做
切莫逼我
為非作歹

燈

燈是黑暗的剋星
在沒有光的地方
沒有光的時刻
為人們照亮
眼前的一切
使見不得人的
醜類
不敢妄動
遁形而去

愈來愈多的人
不點心燈
或心燈如豆
隱藏方寸密室的

49 燈

鬼怪
伺機害人
但願人人心燈長明
照亮自己
照亮家庭
照亮社會

貧與富

動產
不動產
累積億萬
眩耀於人
卻有不為人知的
隱形負債
積壓心頭
常在人後嘆息

隨遇而安
不忮不求
把財富
藏在胸臆
儲存腦海

擁有這個世界
樂在心田
喜形於色

逝去的歲月

逝去的歲月
留下繽紛的回憶
有情愛
有收獲
還有百般的無奈

經過反覆思索
我才發現
逝去的歲月
並未逝去
只是濃塑成
另一種形態
我無以名狀

難以言宣
只覺得
有雲淡風輕的
自在

年話

狗夾著尾巴溜走
豬豎起耳朵跑來
我拉著狗的尾巴
撫摸豬的耳朵
忙得不亦樂乎

狗伴我度過
平安歲月
並且小有收穫
對豬我也不奢望
但願牠帶我
過平淡生活

我是龍的傳人

盼望神龍值年
將海峽兩岸塑造成
民主自由均富的
新中國
展現龍族的
風采

認識傳統

傳統是
前人思想行為的
縮影
自古以來
每個人都在
創造傳統
延續傳統

將美好的
保存下來
把腐朽的
丟棄
再注入當代人的
智慧

就化合成
新好傳統

如此一代代接力
向前演進
人類社會必能
一天比一天文明

如果
沒有傳統
或不要傳統
世世代代都成了
原始人

孝道觀感

己身由出
由己身出
延綿成一條
長長的孝道
道上曾展現
天倫樂的美景

孝道經時光浪潮
浸蝕
出現
一條條代溝
一個個陷阱
老中青在道上
跌跌撞撞

傷痕累累
怨聲載道

這條
人人必經之路
急需重修
規畫成三線雙向
低速公路
多設交流道
適於三代同行
盼早日重見
更美好的景觀

面臨挑戰

時光
揚起無情的
鋼鞭
逼我走進
黑洞
我雖已傷痕累累
要竭盡所能
多拖延一分一秒

新新人類
一波波向我衝擊
把我推擠
有志一同的伙伴們
已日漸凋零

我還是要堅守
倫理道德的
陣地

文化園地裡
多刺的野玫瑰
不斷孳長
妖艷的罌粟花
快速繁衍
剩下幾株瘦小的
梅蘭竹菊
我要盡力呵護
不能讓它枯萎

路

路
是人走出來的
形形色色的人
走分歧錯雜的路
匆匆忙忙
熙熙攘攘
使人眼花撩亂

有人選捷徑
經坦途
達康莊
一路歡笑

有人循逆流

陷泥淖
入困境
哀怨嘆息

我跟隨大眾
在時光隧道
探索前進
留下自己的
腳印

鶯歌風景

流釉
結晶釉
氧化鉄
彩繪
浮雕
整條街
整個鎮
都是美麗的風景

鶯歌的陶瓷
揉合了仿古與創新
兼顧到欣賞與實用
有人說鶯歌
是臺灣的景德鎮

65　鶯歌風景

鶯歌的風景
古得典雅
新得使人心動
景德鎮那比得上
鶯歌鎮

淡水風情

淡水
碧海伴青山
浮沉滄桑史
耐人尋味

曾久經繁華
聲名遠播
又悄然沒落
被人遺忘
於今風水輪迴
丰采遠勝往昔

小白球貫通人脈
捷運帶來商機

淡水商港展鴻圖
九十六層寶島新地標
將聳立淡水河口
淡海大橋領風騷

淡水的潛能
正在醱酵
必成佳釀
與人共醉

淡水鎮
前程似錦
淡水人
已交好運
我又羨又喜
為他們祝福

人與神鬼

孔子
不語怪力亂神
敬鬼神而遠之

古今中外
有多少神
多少鬼
誰數得清
那是神
是鬼
誰分得清

信神
神就在心中

69　人與神鬼

信鬼

鬼就會附身

神會迷人

鬼會迷人

不被神迷

鬼迷

才能做

自己的主人

政客

比IQ是天才
論EQ是英才
唇舌燦蓮花
是非能顛倒
黑白任意搭
左右逢源人脈廣
逢場作秀掌聲大

為了升官發財
瞞上欺下騙百姓
投機取巧玩花樣
官運財運一路發
富貴集一身
生命隨腐化

71 政 客

人人痛恨唾罵
憑其聰明才智
好自為之
可成卓越政治家
只因一念之差
禍國殃民害子孫
身敗名裂悔當年
可為來者鑑

詩　人

詩人
好響亮的名號！
多文雅的意象！
羨煞了多少人？
迷惑了多少人？
誤導了多少人？
往往也自我迷失！

詩人的思潮
能淹沒世界
詩人的美夢
像一道彩虹
他瘋言諷語
嬉笑怒罵

不必當真

詩人喜食
人間烟火
愛挑剔
嗅覺特別靈敏
他的
七情六欲
都很旺盛

花東行

我飛出水泥叢林
從花蓮到台東
那條翠綠的長廊
遠離塵囂
在澄明的天空下
呈現的風景
使我心曠神怡

兩側聳立
延綿起伏的巒牆
長廊上
微風漾起
碧綠的漣漪
迎面送來

撲鼻的清香

疏落的農舍
點綴其間
我依稀耳聞
犬吠雞鳴
目睹阡陌間
耕作的男女
彷彿身在
世外桃源

閒情記趣

相思樹和翠竹
隨著風的魅力
翩翩起舞
茅稈銀髮族
也不甘寂寞
彩蝶結伴穿梭其間
雲雀領銜伴奏舞曲
蟬聲嘶力竭叫好
山林一片歡騰

早起的登山者
都已歸去
我午睡後再上山
流連山中

獨享這份野趣
物我交融
渾然忘我

踩著落日餘暉
欣賞尋歸巢的鳥群
在布滿彩霞的天空
點染一幅動感的寫意畫
使我陶醉
凝視之間
夜幕低垂
星月交輝
我邁開輕快的步子
走入家門

國事記憂

好不容易
跋涉骨山血海
走出漫天烽火
在這塊荒涼的土地上
用智慧耕耘
以汗水灌溉
年年豐收
國泰民安
過了一段好日子

好景不常
標榜民主自由
大小民主殿堂
成了追逐名利的戰場

民代與黑金掛鈎
欺壓善良
又以特權干預行政
使治安亮起了紅燈
百姓失措張皇

權貴口口聲聲愛國
子孫帶外滙偷偷放洋
虎狼環伺當作安全屏障
只怕敵友雙方的炮彈
都落在這塊土地上
居功諉過已成風尚
「台灣經驗」值得思量
想到未來的命運
心裡一片迷茫

及時回頭不晚

執政者為全民福祉著想
民代做群眾的榜樣
嚴以律己寬以待人
結合全體的智慧與力量
勤修內政延伸外交
國格民風使人嚮往
仁者無敵
巍然屹立於世界上

宇宙記奇

上下四方謂之宇
古往今來謂之宙
宇宙與時空畫上等號
時間有多長？
空間有多大？
無人知道

「道生一、一生二、
二生三、三生萬物」
人為萬物之靈
道由何生？
人從何來又往何去？
星球萬物有多少？
都沒人知道

為求心靈安慰
只好信仰宗教

人生如閃電
與日月爭光輝
與時間爭長短
想在天地間不朽
何其荒謬

翻開人類史
你爭我奪
從未休止
遍地血腥
冤魂哀嚎
不如你施我捨
福慧相生
使普天之下眾生

世世代代
充滿喜樂

地球的忠告

我是太陽家族的寵兒
太陽神將製造萬物的原素
都給了我
我花費數十億年
營造成完美的
生存空間及生活條件
培養動植礦物族群
並演化出高智能動物——人
我引以為傲
喜不自勝
豈知是我最大的不幸
人的欲望無窮
爭權奪利自相殘殺

愈演愈烈遍地血腥
暴殄天物污染了大自然
日漸不適於動植物生存
我的保護傘——臭氧層
也被戳了一個大洞
溫室效應害得我百病纏身
核試損害我的生理機能
核彈威脅我的生命
人的惡性與日俱增
我實在難以忍受

我讓家族蒙羞
愧對太陽神
我在此向人類提出
最後的忠告：
你們要知福惜福
相親相愛互助合作

共同分享我賜與的資源
創造一個文明安樂的人類社會
讓你們的子子孫孫成為
人間天堂的主人
倘若執迷不悟為惡不改
我將因你們的罪惡而死
你們也會隨我同歸於盡
別以為你們可以
向外太空尋找新的樂園
你們的夢想
註定落空

一九九五之謎

有人說
一九九五是
災難來臨的訊息
顯得惶惶不安
有人認為是
榮華富貴的密碼
期待及時掌握
只有那些
樂天派和白痴
無動於衷

一九九五
一九九六
一九九七

……………
都是陡峭的天梯
如果
你對人世間
還有所憧憬
對祖先和後代
要盡點責任
就背起行囊
邁開步伐
拾級而上
盡其在我

釣魚台的心思

我徜徉在
藍天碧海間
看日月星辰起落
賞風雲變幻奇景
觀魚群晝夜嬉游
悠然自得

因我位居要衝
擁有豐富的魚礦資源
鄰居都想據我為己有
風波不斷
劍拔弩張
在這危機四伏的時刻
切莫因我

燃起漫天烽火

請各自展現君子風度
暫且擱置我的歸屬問題
共同分享我擁有的財富
還我自由之身

香港情懷

我是名門之後
被強梁所逼
當家的簽下
我的賣身契約
從此淪為奴婢

所幸
我稟賦優異
又得天時地利之助
新主子沒虐待我
展威嚴　施小惠
將我塑成一顆
東方明珠

新舊主子達成協議
要我認祖歸宗
我的身分如何定位？
遙望家門
既生疏又疑懼
關愛的眼神
從四面八方
向我投射
是福？是禍？
我亦喜！亦憂！

九頭鳥與兩頭蛇

我送你很多蛋吃
你身體好多了
竟然想吃掉我
真沒良心
我教你養生法術
我倆共存共榮
才是上上策

你想強出頭
口是心非玩花樣
到處呼朋喚友
我才不相信你
……………

仙鶴凌空告誡：
你們鷸蚌相爭
就會大難臨頭
我勸你們
放寬胸心
彼此尊重
各唸各的經
各修各的道
一朝頓悟
功德圓滿

寄望於大公僕

挑選一個
大公僕
是攸關我們
福禍安危的
大事

我前思後想
左顧右盼
打定主意
然後許了個
大願

終於
塵埃落定

槍炮聲
叫罵聲
歡呼聲
都暫歸沉寂

未來的路
怎麼走？
今後的日子
怎麼過？
都交到
大公僕的手裡
但願他
實踐諾言！

二二八的悲情

二二八　是
九一八
一二八的延續
二二八　是
七二八
七三一的翻版
是我們心中
永遠的痛

於今
事實變了質
歷史走了樣
是非功過
混淆不清

二二八紀念碑
二二八和平公園
是中華民族之恥

遠方

哈伯望遠鏡傳回
五十億光年外
星群的亮麗圖象
那就是
基督的天國？
佛祖的極樂世界？

考古學家發現
六千五百萬年前
恐龍蛋化石
分離出基因比對
與人類的基因相似
難道恐龍是
我們的祖先？

雖然時空使我迷惘
我還是關懷
這立足的時空交會點
又嚮往那遙不可及的
遠方

人生的悲喜劇

母親的呻吟聲
嬰兒的啼哭聲
親友的道賀聲
揭開悲喜劇的
序幕

生命的止息聲
親人的哭泣聲
世人的毀譽聲
一場悲喜劇隨之
落幕

其間穿插
曲折離奇的情節

不同的劇情
同台演出
呈現一個
參不透的世界

每個角色都想
把悲劇的成分減少
將喜劇的成分增多
往往總是
說錯台詞
走錯台步
表錯情
演出完全走了樣

新奇的劇本
源源推出
導演的手法

不斷翻新
很多角色都想
自我超越
未來的劇情發展
恐怕是
悲得更為
悽慘
喜得更為
瘋狂

我不忍觀看
那樣的悲喜劇
我不願扮演
那樣激情的角色
我不希望
觀眾傷心落淚
我不羨慕

演員獲得掌聲
但願
台下台上
看得怡情
演得盡興
會場一片
歡欣

卷二 文愫

卷二 文愫

欣聞縣長尤清決定為兩位蔣總統建立銅像，上書致意

尤縣長鈞鑒：

我是一個老年縣民，日前在報紙上看到新聞報導： 鈞座爲感念蔣故總統 經國先生，當年毅然歸還陽明山行館，作爲臺北縣訓練公務員之用，並感念 經國先生默許民進黨組黨，已決定在陽明山公務員訓練班，設置先總統蔣公和經國先生攜手同行的銅像，並自認爲作這樣的決定，未來可能會被民進黨員批判一個月以上。 鈞座的政治良知與道德勇氣，令我敬佩。

我做了三十多年公務員，只處理一些事務性的工作，自認是奉公守法，盡心竭力，還是受到誤解與責難，深感公職難爲。 鈞座掌理有兩百多萬縣民的臺北縣政，政務千頭萬緒，面對高漲的民意及激烈的黨派之爭，要遵循上級政策，又要滿足縣民的需求，化解紛爭，調和鼎鼐，備極辛勞，使縣政得以順利推展。掌聲之後，謗亦隨之，其中況

味，實難以爲外人道也。古今中外有抱負有理想的政治家，毀譽隨人，無怨無悔，只求造福百姓，心安理得。想必　鈞座因親身體會，而生對兩位蔣總統有感念之心。

先總統　蔣公，承擔著中華民族近世紀因積弱所帶來的苦難，爲救亡圖存，一生犧牲奉獻，對國家民族的豐功偉績，備載史冊。故總統　經國先生，爲國爲民歷盡艱險，「八二三」金門砲戰，親臨陣地，出生入死，興建東西橫貫公路，做開路先鋒，推行「十大建設」帶動經濟起飛，領導全體軍民，創造了臺灣「經濟奇蹟」及「政治奇蹟」，其中辛酸，實非外人所能想象。兩位蔣總統，生活簡樸，勤政愛民，父子相繼執政半世紀，死後未留遺產，是古今所罕見，中外所少有。我相信　鈞座知之甚稔，感念亦深。此次決定建立兩位蔣總統携手同行銅像，歸還陽明山行館及默許民進黨建黨，只是一近因吧？

國際情勢險惡，中共相煎日急，國內紛爭不斷，我們國家的處境，仍極艱困。除了我們中華民國一向主持國際正義，濟弱扶傾，國際間只講利害，沒有公理，世局仍受強權控制，唯能自立自強，才有生存發展的空間。美國媚共，日本想霸佔釣魚台，他們對臺灣均有覬覦之心，不可深信依賴。內政是外交的後盾，團結奮鬥，增強國力，國家才有美麗的遠景，個人才有光明的前途。

令人深感憂慮者，我們的國家已進入多元化社會，進入政黨競爭的時代，各黨派雖有不少精英才俊的政治家，亦不乏投機取巧的無恥政客，從立法院的議事風格及效率，由黨派主導的無理性街頭抗爭可見一斑。互助合作對凝聚國力，提升國家的競爭力，有相加相乘的效果；任何抗爭都是國力的消耗。我們中華民國有一段相當時間的安定和諧政治局面，才能創造出舉世稱羨的「奇蹟」。反觀今日世界上貧窮落後的國家，無不是因長期內亂所使然。近幾年來，國內政客為爭權奪利，心懷個人英雄主義，製造是非，誤導民意，阻礙了國家的整體建設，使社會出現一片亂象，是不祥之兆，值得國人警惕。老朽來日無多，而為子孫憂，為國家民族前途憂。以上所言，鬱積胸臆。

鈞座的政治良知與道德勇氣，激發我一抒胸懷，向智者傾訴。並盼民進黨內諸君子，對　鈞座為兩位蔣總統樹立銅像，供國人瞻仰追思，切勿責難，而見賢思齊，凡事為全民福祉著想是幸！

隨呈奉上拙著「生命履痕」一冊，敬請批閱指教。並頌

政躬康泰

縣民汪洋萍　　謹呈八十六年元月十五日

慰勉劉子敏先生函(一)

子敏先生：

您寫給宋秘書長的信，我拜讀後非常感動。您忠貞愛國的情操，高尚的人格和慈愛的傳統美德，使我敬佩與景仰。所請救助事項，因您無退除役官兵身分，非本會輔導安置及照顧對象，本會覆函諒已收到。我幫不上忙，尚希見諒。

所幸里長爲您申請低收入戶，想必很快就會核准。茲奉上新台幣壹萬元，請收下，以維持你們父女目前的生活。敬祝

您身體健康，令嬡學業進步

汪洋萍敬上　八十一年十二月十四日

註：劉子敏君係台中市民，致函國民黨中央黨部宋楚瑜秘書長，請求救助，轉交本會辦理。因礙於規定，愛莫能助，而其需求迫切，我私人幫助他一點，聊盡心意。

慰勉劉子敏先生函㈡

子敏先生：

您三月二日來函敬悉。每個人都有困難的時候，每個人都須人幫助，前寄奉區區之數，請勿掛懷，不必寄還。目前最要緊的是，您要時時注意身體健康，生活安定，使令嫒安心求學。她品學兼優，畢業後找到工作，處境就會改善。貧窮不是恥辱，頹廢、墮落才是恥辱。您不屈不撓，堅苦奮鬥的精神，令我敬佩。

關於申請「低收入戶」，不是任何人的恩賜，而是你們應享的社會福利。請勿撤回申請，並繼續催促辦理，因對您目前的境況確有必要。

您寫給洪科長的信影印本，我拜讀過。您的情緒反應，是爲生活所逼，承辦人員應可諒解。但不知問題出在那裡？使您的申請久未核准。我已去函洪科長，倘有消息，情形如何，即刻奉告。耑此奉復，並頌

安康

汪洋萍敬上　八十二年三月七日

函請洪科長協助劉子敏君申請低收入戶

洪科長勳鑒：

我很冒昧寫這封信，是想請您諒解劉子敏君的過度情緒反應，並請賜助其申請低收入戶案能獲核准，使其父女度過難關。

我現任職行政院國軍退除役官兵輔導委員會第二處第一科科長，與劉君素昧平生。其因生活困難，前投函向中央求助，層轉本會，但因劉君無退除役軍人身分，非本會輔導安置及救助對象，愛莫能助。而其情可憫，急需救助，我私人濟助他一萬元。

今接他來信，並附他寫給您的信影印本。我已去信安慰他，勸他不要撤回「低收入戶」申請。您我都是公務員，必須依法辦事。劉君申請案久未核准，必有原因。如合規定，您定會樂助其成。倘係因手續不合、證件不齊，或限於定額，尚須等待，請向其說明，以解其心結。冒昧之處，尚希寬宥。另寄拙著「心影集」一冊，敬請指教。並

頌

勳祺

弟汪洋萍敬上　八十二年三月六日

註：洪科長任職臺中市政府，主管社會福利業務。

函謝王常新教授獎勉，並抒所懷

王教授常新先生：

元月五日來函獎勉，使我欣喜之餘又感慚愧，並在此敬致謝忱。 先生從事著述與講學，爲海峽兩岸文化交流，盡心盡力，令人欽佩。我已將 先生正在編撰「臺港澳暨海外華文新詩大辭典」及在華中師大講授「臺港文學選修課」，需要臺灣文藝界及詩人作家提供大量資料的訊息，轉達此間詩壇和文壇的朋友，均認爲是義不容辭，您將會陸續收到您所需要的資料。

時代愈進步，科學愈昌明，愈顯得中華文化的人文精神與倫理道德的重要。環顧世界上已開發國家國民犯罪率在快速上升，犯罪年齡在逐年下降，人性墮落，道德淪喪，可嘆！可悲！詩、文和藝術的商品化與低俗化，更加速了人性的沉淪。中華文化的精義被人忽視，中華文化的形象被人醜化，凡有道德良心，有責任感和使命感的中華兒女，豈能視若無睹，袖手旁觀!? 先生在華中師大講授「臺港文學選修課」及與大陸詩壇諸公同心協力編撰「臺港澳暨海外華文新詩大辭典」，其目的想必是藉海內外文化交流，使中華文化發揚光大，以造福全人類！

人類正面臨大自然生態與人文生態惡質化的雙重傷害，反省自救已刻不容緩。以人類的智慧，妥善的開發及運用地球所蘊藏的豐富資源，足以創造一個和平安樂的世界；但於今卻是一個戰亂、飢餓、奢靡、暴力、色情、吸毒、愛滋病交織而成悲慘的人類社會。人類所追求的應是眞、善、美的生命境界，而詩人、作家和文化工作者，則是人類心靈建構的工程師。處處顯示人類的心靈在逐漸崩潰，建構工程師恐難辭其咎。又有人將文藝作品喻爲人的精神食糧，今日人類社會百病叢生，是不是精神食糧出了問題呢？百感交集，話哽在喉，欣逢知己，一吐爲快。敬請指教，並祝

教安

汪洋萍敬上　一九九二年元月廿五日

函謝楊光治教授并抒懷請益

楊教授光治先生：

元月二日大函誦悉。弟久仰大名而緣慳一面，有機會當趨前拜訪，面承教益。貴社爲促進海峽兩岸文化交流，盡心盡力，績效卓著，爲兩岸同胞搭起情感交流的橋樑。前爲涂靜怡小姐出版「秋箋」詩集，銷售二萬冊，今又爲她出版「畫夢」詩集，必能暢銷，再創佳績。

涂小姐的抒情詩，清新柔美富感情，深受青年讀者喜愛。弟前寄上之「心影集」已蒙批閱，並列爲明年度出版計畫，報請上級審核，在此謹致謝忱。我的作品言詞淺白，理性多於感性，且含有若干政治意義，對歷經憂患，關懷國家民族前途及同胞福祉者，較能接受與認同。倘獲批准出版，我願獻出版稅，俾爲兩岸文化交流盡點心力。

世界局勢動盪不安，國際間生存競爭激烈，冷戰暗潮洶湧。蘇聯雖已瓦解，其新國協仍有雄厚潛力，深具威脅性；美國是個可怕的強權；歐洲在積極進行整合，想藉統一圖強以傲視全球；日本挾其經濟實力，軍國主義者蠢蠢欲動：展望未來，詭譎多變，無一國家民族能自外於變局中，惟有自立自強始有生存的空間，才有光明的前途。

我中華民族，近兩個世紀以來，受盡列強的侵略凌辱，現在雖已走出往日垂頭喪氣的陰影，卻又面國際現實新的挑戰。切盼海峽兩岸的政府與人民，拋開昔日的恩恩怨怨，敞開胸懷，放大眼光，互助合作，以經濟共榮，國際共存，文化交流，以促成中國之統一，開創屬於中國人的二十一世紀。兩岸文化工作者，應有此一使命感，而負起嚮導責任。

國父孫中山先生，一生致力國家富強及世界和平安樂，幾十年來，國人都辜負了他。環顧今日世界，因生存競爭形成貧富兩極化：貧窮者掙扎在飢餓與疾病的死亡線上；富裕者生活在驕奢淫佚與頹廢墮落中。人性的尊嚴在那裡？人類的前途又在那裡？自命爲追求眞、善、美的詩人、作家和藝術家們，怎會視而不見，怎能見而無所爲呢！愚者多慮，切盼有以教之。並頌

編安

弟汪洋萍敬上　一九九二年一月十五日

註：楊光治先生，現任廣州花城出版社副總編輯，並兼任西南師範大學中國新詩研究所客座副教授。

復涂擁先生函

涂擁先生：

昨天收到你的來信，知你目前有些困難，今天託友人滙寄人民幣二千元，希望對你有點幫助。我們雖非深交，但我們都很坦誠，我有幾句諍言，提供你參考：

一、臺灣的報刊雜誌，園地公開，投稿市場供過於求，靠寫作的專業作家極少。編者選稿約有三要件：㈠名作家；㈡好作品；㈢合口味。推荐、介紹作品少有所聞。你投寄的稿子，都退到涂靜怡小姐處，她因工作忙，又身體不適，未寫信告訴你。據我所知，有人向某大報副刊投稿數年，未採用一篇。茲寄中央、聯合、中時三大報副刊各一張，請參閱其風格、內容，對你投稿或有所助益。

二、寫作只能當做業餘的興趣，不能賴以維生。據說，大陸有拿政府工資的作家，那又當別論。若非政府雇用的職業作家，切勿辭掉工作，靠稿費收入，是難以養家活口。所謂作家、詩人，臺灣滿街都是。我不敢以作家、詩人自居，只把寫作當遣興抒懷之樂事，一無所求；若有所求，就會苦惱。

三、處逆境要冷靜、沉著、堅毅、奮發，決不能頹廢、怠惰。想必你讀過司馬遷報任少卿書，偉大的作品都是作者在困阨中所作。文化館工作很適合你，希望你全心投入，力求表現，以謀發展。不滿現實是一般年輕人的通病，卻不知改變現實，去開創未來。挫折也許對你有某些激勵作用，擊出你生命的璀燦火花。處理家庭問題，最好以愛心包容及忍耐來解決，委曲求全是上策。幸福美滿的家庭，人人夢寐以求，究竟有多少人能進入理想中的伊甸園？有人說：人生是一杯苦酒。其實何只一杯！何不坦然一杯杯飲下，也許苦後回甘，甚至甜美。

四、我們都以知識分子自居，對國家民族、對當今社會、對後代子孫，都有一份不能放棄的責任。這不是唱高調，不然，人生有何意義？書不盡言。敬祝

安好

汪洋萍敬上　一九九二年九月二日

註：涂擁先生，服務於四川省納溪縣文化館。

復李明馨詩友函(一)

明馨詩友：

拜讀妳六月三十日來信，知妳已獲升遷新職，又在散文創作方面豐收，我聞此喜訊，爲妳高興，爲妳祝福，相信這只是妳百尺竿頭的起步。

你們終於分手，是他愚昧，沒有福氣。我原來勸妳，是想使他省悟，以贖罪之心善待妳，重建幸福家庭。既然他冥頑不靈，不如早分手的好。妳有個可愛的兒子，有高尚的事業，又愛好文學，在除去那塊壓在心頭的頑石、朽木，我相信妳會生活得很好，會有更大的發展空間，創造更大的成就！

妳還年輕，希望妳能選擇理想的對象，重組幸福家庭，共度亮麗的人生，我等著你的好消息。

關於「秋水詩刊」，只寄贈當期作品發表的作者，我看80 81兩期都沒有妳的作品，所以沒寄給妳。茲隨信補寄80 81期「秋水」各一冊，請繼續爲「秋水」寫詩。在妳新生活的開始，會以新的思維，寫出更好的詩篇。

我從大陸旅遊歸來，很少出門，在家過悠閒生活，尙稱安適，寫了十萬字的遊記散文，準備出書，書出版即寄給妳，請指教。祝妳

一帆風順

汪洋萍敬上 一九九四年七月七日

復李明馨詩友函(二)

明馨詩友：

妳的來信及全家福合照均已收到。我捧讀妳那五張信紙洋洋灑灑的信，看著那張溫馨天倫樂的合照，眞爲你們高興。妳在信中細述夫妻恩愛，親子情深，家庭幸福美滿，工作得心應手，娓娓道來，所呈現一幕幕美好的情景，我與家人共賞，並將之轉告此間詩友，大家都很羨慕，也衷心爲你們祝福。

妳在工作上有優異的表現，獲得長官的信任與讚賞，在同事之間人緣好，在社會上人際關係好，丈夫疼愛妳，兒女乖巧地環繞在妳身邊，這些都是妳的智慧、愛心與努力所發揮的光和熱的能量所致。妳稱我老師而歸功於我，我實在愧不敢當。由此可見，妳爲人的謙卑自抑，勵求精進。我們的年齡雖有很大差距，但在晤談及交往中沒有「代溝」。妳閱拙著「生命履痕」，認同其中若干理念與觀點，令我欣慰。

我希望妳在公務及家務之餘，握起妳詩的彩筆，將妳的成就，妳的幸福，妳的理想，抒發成詩篇，與讀者分享，爲世風日下的病態社會，收潛移默化之功，以盡詩人的社會責任。這是我竭誠的期盼，並拭目以待。

為慶祝「秋水」一百期，（創刊二十五週年）詩社同人大陸詩之旅，涂靜怡主編正在籌畫中，時程在明年暑假期間，將從內蒙進入外蒙，欣賞北地風光，再循絲路去新疆，也可能遊覽長江三峽。俟確定了日期及行程，會在「秋水詩刊」發布訊息，並邀約大陸地區詩友們，自由選擇定點參加，屆時會有很多詩友相聚歡敘交誼論詩，盛況可期。妳因公務羈身，未能參加「秋水」創刊二十周年大陸詩之旅而感遺憾，這次已早做安排，要全程參與，我們同人都竭誠歡迎。盼常報佳音。並祝

安康

汪洋萍敬上　一九九七年三月十八日

註：李明馨女士，解放軍上尉轉業，任職成都市老人福利單位。

函請毛連長開導義務戰士黃顓華

毛連長世威勳鑒：

我是貴連義務役戰士黃顓華的隔壁鄰居。顓華的母親，上個禮拜天來連上探望他，回來對我說，顓華在連上出操、上課及勤務工作，每天超過十二小時，又常受班長、老兵學長的責罵及處罰，心理上有很大壓力，精神緊張，人也瘦了很多，她很心疼。我當時予以勸慰，並以我長期在軍中的生活經驗向她解釋。她又說，顓華一個多月沒有放假回家，沒有寫信回來，也沒有電話，當面問他原因，不肯回答，似有難言之隱，使她更是日夜牽掛，寢食難安。

黃顓華，我看他長大，個性內向，沉默寡言，是個循規蹈矩的乖孩子，但有點倔強脾氣，可能是他難以適應軍中生活環境的主要原因。請連長和連裡的長官們，多予開導，誘發其心智，使其變化氣質，成爲樂觀進取，活潑樂群的好戰士，其家人必心存感激，我必將連座教化之功，據實上陳總部，並撰文公諸社會，使軍民同胞同沾雨露。

幾年前，一家大報連載孫立人將軍回憶錄，我看到他記述在美國維吉尼亞軍校讀書時，被高年級學長欺侮的情形，簡直是無情殘酷的虐待，怎會發生在一個尊重人權，提倡民主國家的高等軍事學府？眞是不可思議。以前我們的部隊裡曾流行一句軍事術語：「有理是訓練，無理是磨練。」我想，那個時代已經過去。我們從各種大衆傳播媒體可以得知，現代的「新新人類」自主性高，叛逆性強，勇於向權威挑戰，與倫理道德對壘，無視於法紀的規範，一旦入營要接受嚴格的軍事訓練，心理上自難適應。連座您面臨管教問題的考驗，辛勞可想而知。義務役戰士軍事教育的成敗，攸關國家的安危，人民的福禍，軍中的基層管教幹部責任重大，我在此向連座表達敬意與祝福。

隨函奉上「秋水詩刊」及「三月交響」詩選集各一冊，請批評指教。並頌

勳祺

汪洋萍敬上　八十五年七月十六日

隨函附上致黃顓華信，敬請轉交，謝謝！

書勉黃顓華適應軍中生活

顓華小弟：

我是你家隔壁的汪伯伯。前天（星期天）你母親到連上來看你，回來向我和汪媽媽說，你對軍中的管教及生活很難適應，身體也瘦了很多，她爲你的健康擔心，爲你精神抑鬱而心疼。我和汪媽媽聽了也很掛念你。

我看你長大，是個懂事的乖孩子，見面總是很親熱的叫我。你個性內向，沉默寡言，不愛交際，可能是你難以適應軍中團體生活的主要原因。汪哥哥與你的個性相近，在中正理工學院畢業，抽籤分發到海軍陸戰隊當排長。他到職前，我一再的開導他，鼓勵他：你個性內向，過慣了單純的學生生活，初到部隊，要負起基層幹部的管教責任，面對來自各地不同身分背景的青年，每個人的生活習慣及行爲修養差異很大，在共同生活作息中，難免會發生摩擦，你要擔任溝通調和的角色。出操上課，一個口令一個動作，不能馬虎。操完下課，大家是好兄弟好朋友。多接近多關心他們，爲他們解決困難。對愛說話強出頭及沉默寡言精神抑鬱的弟兄，要多加注意，伺機開導，使其自我調適，以防發生意外。他接受我的建議，自我惕勵，在擔任排長、副連長及新兵訓練隊長期間，都獲得弟兄們的合作及長官的賞識，並在別離的紀念冊上留下深厚的友誼。

顓華，我建議你，自我調適內向的個性，多與共同生活作息的人接近，多參加團體活動，建立良好的人際關係，成爲一個活潑可親，樂觀進取的好青年。如果有困難、有痛苦，坦誠地向長官報告。現在軍中是大愛的軍事教育，你有困難、有痛苦，長官們一定會爲你解決。不過，你也要體認到：軍隊是一個戰鬥體，訓練須嚴格，紀律要嚴明，不可能樣樣如你所願。入營服兵役，是你踏入社會的第一站，請耐心、虛心的努力學習，會有意想不到的收獲。常打電話給你母親，以免她牽掛煩憂。祝你

前途光明

汪伯伯　八十五年七月十六日

函復承桂弟感謝關懷

承桂弟：

你二月十二日來信收到，知你全家平安，新年過得愉快，我眞高興。也謝謝你們對我一家人的關心與祝福。

一年多來，我雖很少給你們四兄弟家信寫，但與志廣侄通過多次電話，得知我們親兄弟四家都生活得很好，並請志廣爲我轉達問候之意。志廣在建設銀行服務，我掛個電話非常方便，而書信往返總須月餘。你們四兄弟家比鄰而居，志廣與你們朝夕可見，因此，我很少寫信給你們。

前年我和大嫂回家過中秋節，我們親兄弟姐妹、堂兄弟、三位叔叔嬸母、侄兒侄女和侄孫、外孫輩和表親們，都盛情接待，熱情迎送，中秋晚宴席開五桌，賞月晚會歌聲笑聲一同歡樂及殷殷惜別的情景，有如昨日，溫馨的親情，常在我心，大嫂念念不忘，常與此間親友聊天提及，聽者無不稱羨。

你來信說：聽說有很多人寫信找你要錢，那有許多。這樣關心我，怕我受到困擾，手足之情，如此可見。回憶一九八三年初，由旅居美國友人轉信，與你們取得聯絡，那時父親健在，從你寄來的全家合照看到每個人面容與衣著，就知是生活在飢寒交迫中。當時，我子女幼小，有的在上學，入不敷出，寅吃卯糧，我籌點錢寄回去孝敬父親，每次你們兄弟收到錢後，聯名回信說：大哥：父親由我們兄弟奉養，請放心。你一人流落在外（那時寫信寄錢都託朋友在美國滙寄，我也不敢告訴你們我在臺灣）要自己保重，希望能早日回來一家團圓。你們曾在信中說，母親臨終時還叫著我的乳名，父親時常掛念著我。自幼來到我家，未完婚的大嫂（曉蘭），久等我未歸，杳無音訊，生死不明，父母親含悲忍痛，把她當女兒嫁出去了。過年過節飯桌上都為我擺一付碗筷，給我留個空位子。我含淚讀那些信，並保存至今，與在家鄉帶回的方汪氏宗譜一起珍藏（我們本是方孝孺的後裔，因先祖獲罪於明成祖，要誅九族，乃改姓遠避他鄉，後來在我汪家祠堂、祖宗牌位和宗譜上都冠上方字，以示不忘本）。

現在，我們親兄弟和小妹春蘭每家都可溫飽，兒女們也各自成家，倘能堅持勤儉家風，未染上好逸惡勞及奢靡惡習，可預期將可過平安日子。目前在我們親人中，堂弟承譜、承應、大姐之子胡發等和曉蘭他們四家生活最為困難；但他們並沒有寫信找我要錢。我得知承譜年前生病，我寄給他人民幣一千元；承應兒子志發讀初中三年級，全省會考獲全校第三名，我寄給他一千元獎金鼓勵；發等外甥的兩個兒子上學期缺學費，我寄給他兩千元。曉蘭在我家苦了十幾年，幫助父母撫養你們四兄弟和春蘭，她比我只小一歲，已年近七十歲，一對老夫妻都有病，兒子自顧不暇，去年我先後寄給她人民幣六千元，以彌補我對她的虧欠，減輕我內心的歉疚。我這樣一五一十的說出來，是怕你們兄弟爲我們的生活擔心。想必其他兄弟也曾聽說有很多人找我要錢，請你將以上的情形轉告他們。

我是靠退休金生活，大嫂雖小病不斷，還是在工廠做工，可增加點收入，我們每年申報所得稅都未達納稅標準，算是中低收入戶。三個兒女各顧各的都過得去，我們兩老生活很節儉，量入爲出，還要省下幾個。我雖然窮苦一輩子，卻把金錢看得很淡，總認爲生不帶來，死不帶去，兒孫自有兒孫福，我沒有遺產留給他們，他們得靠自己。大嫂個性和我一樣，心胸也很開朗，我們生活得平安愉快，請勿掛念。並祝

全家安康

請代向

諸弟妹問好

大哥 一九九七年三月十七日

書勉親侄志廣

志廣：

你元月十八日來信收到。你的書法和文字表達能力都有進步，我很高興。你對文學很有興趣，而且有很多幻想，希望你在國學文史方面多下點工夫，吸取其中精華作爲踏上文學之路的基礎；切勿沉迷於小說。你來信裡提到三毛和郁達夫。三毛自幼得了自閉症，人格不是很健全，除了能寫些個人情感豐富的文藝作品，能迎合青少年的浪漫情懷，在心性修養和事業方面，沒有令人羨慕的成就。郁達夫拿政府公費（民脂民膏）去日本留學，放浪形骸，只圖個人享受，不思學有所成，回饋國家與人民；對家庭是個不孝兒子，無情無義的丈夫。他只會玩文字遊戲，欺騙讀者的情感。他爲日本人做翻譯，被日人謀害，下場很悲慘。三毛和郁達夫的作品，我都讀過一些，我不欣賞，而警惕自己：不要被其迷惑。

我讀一本書，先了解作者的生平，再評鑑其作品：是眞情流露有啓發性的文學作品，還是玩文字遊戲的美麗謊言。文學的價値，是美化人生，充實生活內涵，啓發智慧與培養生命活力。那些煽惑性的文學作品，是糖衣毒藥，不但對讀者有傷害，也間接地傷害到社會大衆。古人說：開卷有益。於今，出版書刊商品化、低俗化，良莠不齊，想藉讀書進德修業，要「擇優而讀」，以免受害而不自知。

前幾天，我寄給你和志雲「心影集」詩集各一本，那是我近幾年來，在報刊雜誌發表的作品結集而成，都是我的眞心話。收到後作爲課外讀物，從序文中就知我對那些自命不凡，愛說風涼話、唱高調、作白日夢、苛責別人，而自己行爲不檢的所謂「文學家」、「詩人」、「藝術家」沒有好感；我只崇拜那些苦學德業有成，或爲福國利民而艱苦奮鬥的人。

志廣，我勸你選定一個近程的目標：如果高中畢業後決心繼續升學，就要靜下心來，苦讀應修的課程，爭取聯考金榜題名，決不能存僥倖心理；何況讀書是求知識學問，參加考試是手段不是目的。若對讀書沒興趣，只想獲得一張文憑，沒有眞才實學，對你未來的發展，不會有多大幫助，不如學一技之長，走入社會，在工作中體驗人生，體會到「書到用時方恨少」再在工餘努力自修，一定會有所成就，所謂行行出狀元。在臺灣大學畢業甚至碩士，淪爲無業遊民或作奸犯科，而中小學畢業者在工商界或政治舞台上有輝煌的成就，都大有人在。事在人爲，立足社會若無自知之明或不肯努力，落得一事無成而憤世嫉俗，怨天尤人，就會抱憾以終。這是我在人生旅途中體察所得的肺腑之言，提供你作參考，以資惕勵。

說到詩、文和藝術，我以世俗的眼光好有一比：食、衣、住、行是人生的四大需要，缺一不可。詩、文和藝術是「食」的調味品和烹調技巧，使之成爲色、味、香俱佳的美食；是「衣」的做工與款式，能使人穿著舒服又美觀；是「住」的屋外景觀與室內陳設，能提升生活的情趣；是「行」的沿途風景，能使人怡情悅目，心神舒暢。希望你全心投入課業與工作，把文藝欣賞當作一種嗜好（代替烟、酒、玩樂），以排遣寂寞；如果能走上文藝之路，把詩、文、藝術當作志業，又當別論。我再重覆一句：你要擇優而讀。偕美好的詩文，遨遊無涯的勝境。隨信寄舊郵票數十枚，如能收到，下次再寄。祝你心曠神怡，學業進步。

大伯父　一九九二年二月二十日

註：志廣是我四弟之子，安徽省蚌埠高等專科學校畢業，現任職建設銀行岳西支行。

書勉堂侄志發

志發：

你元月卅日來信收到，知你參加全省會考期末考獲全校第三名，及在信中表達出你發奮圖強的雄心壯志，我非常高興。我日前寄給你人民幣壹千元獎金，加油打氣，希望你繼續努力，有更好的表現，更多的收獲；但更要注意身體健康，不可用功過度。追求知識，進德修業，是終生的「馬拉松」長跑，不是百米衝刺，要有耐力，有恒心。你能考上高中、大學，不用擔心學費，有困難告訴我，我爲你解決。你父親只讀一年書，能寫信給我，我也很高興。你有一位很了不起的媽媽，在艱難困苦中，營造出一個生氣蓬勃的和樂家庭，令我敬佩。

另寄「心聲集」詩集和「生命履痕」文集各一冊，收到後，作爲課外讀物，對你會有些啓發。閱讀詩文集，應先讀序文；序文寫得好，就是導讀全書的文章。你來信說，你已讀過我的「心影集」詩集和「萬里江山故園情」遊記散文集，獲益不少，等有時間還要重讀。有些書值得一讀再讀，隨著年齡的增長，環境的變遷與爲人處世經驗的累積，會有不同的體會。像「古文觀止」裡有些好文章，和孫中山先生的許多著作，我重讀過很多遍，十年二十年前與十年二十年後閱讀，就有不同的感受和新的發現。

我們的村子裡，受高等教育的不多，我們汪家好像只有志廣一人。他的品行、學識都不錯，在銀行做事也很認眞，你們住得很近，有時間多與他接近，課業方面的問題，可請教他。他是你的堂兄，也有義務指導你。

大伯早年失學，生逢亂世，到處漂泊，雖無成就，你讀過我寫的四本書，就知我曾經努力過，現仍在努力。本著誠誠實實做人，規規矩矩做事，無名利傲人，卻問心無愧。我現已年屆七十，希望能看到你大學畢業，學有所成，服務桑梓，對社會國家有所貢獻。請代問候你的父母和祖母。祝你（我寄給你的書，你可借給愛讀書的同學好友閱讀）身體健康，學業進步

大伯父　一九九七年三月十日

註：志發是我堂弟承應之子，就讀岳西縣立中學初中三年級。

書勉吾兒效聖

效聖吾兒：

你電話告知，隊上有位弟兄，需至臺北榮民總醫院檢診，請該院發一通知，以憑請事假。我即託梁、潘二位小姐幫忙，第二天我即去臺東出差，昨日出差回來，潘小姐告訴我，因無病歷號碼，又不知他的年齡籍貫，同姓名者多人，無法確定。接此信後，查問清楚，最好能告知主治醫師姓名，再與我聯絡。只要符合院方規定，我託人代辦，應無問題，請他放心。

你獲得長官信任，被選派擔任新兵訓練隊隊長，到職前我曾以聊天的方式，對你做了幾次「勤前教育」，一個月來，你對執行新任務有何心得，是否遭遇困難？我提示你預防問題發生及解決問題的方法，是否應用得上，效果如何？那只是做人做事的大原則，面對問題要靈活運用，隨時檢討得失，以求圓滿達成任務。

做一個帶兵官，對敵作戰「兵不厭詐」，以求勝利；而上對長官，下待部屬，要以眞誠與愛心相處，以促進互相信任，發揮團隊精神，建立榮辱與共的堅實情感，才能克盡厥職。你與隊上的弟兄們，年齡不相上下，出操、上課固應保持職務的尊嚴，操畢、課餘，大家是好兄弟，不必太拘泥禮節，以免拉大了彼此之間的距離。若能與弟兄們一起休閒同樂，把軍中的生活點綴得多彩多姿，弟兄定會樂於接受軍事教育，就是離營後，也會留戀軍營，懷念長官，那就是軍事教育的成功。

新兵弟兄是來自不同家庭背景的「新新人類」，智能與性向各有差異，來到管教嚴格的新環境，過團體生活，在某些方面會適應不良，難免發生些小問題，你要公正處理，以愛心去關懷他們，幫助他們解決困難。凡事要以身作則，樹立典範。如果弟兄們怕你而疏遠你，那是你的失敗；能獲得弟兄們敬愛而樂於親近你，才是你的成功。希望你勉力為之。家裡一切平安，不要掛念。祝你工作順利，心情愉快

父字　八十二年十二月九日

汪先生：

您好！大作《心影集》收到，謝謝您！

您的雙胞胎外孫彩照作封面，真是好極了！"我們是中國人"，他們的回答更是令人感動。

您的字寫得工整而秀麗，很耐看。

您的詩觀我很贊賞，我也認為詩是提昇人們的思想境界，詩品即人品。您的勸告，不僅是「其言也誠」，而且是「其言也善」！

為寫「台港澳暨海外華文新詩大辭典》和講授「台港文學選修課」，我需要台灣的朋友惠贈大量資料，因為我要寫許多詩集、詩選、詩會、詩獎的辭條。您的大作幫了我的大忙，再一次謝謝您！

還有個請求，請您得便時為我向您的

詩友呼籲，請他們也像您一樣，向我伸出援助的手，不然，我承包的任務可就難以完成了。這對海峽兩岸文化交流也不利，因為辭典一冊在手，台灣同胞的詩歌面貌就一目瞭然了。

「人生以服務為目的」，我從您對「秋水」的貢獻，深深地感受到這一點。

祝您

冬安

王常新
1992.1.5.

瀘州文藝

汪洋萍先生：

　　您好！

　　您委托"廈門湖里興隆路勝天科技樓"陳藍藍寄来的貳仟元人民幣滙票，我剛剛才收到，便按捺不住内心的感激之情，匆匆給您寫信。

　　我真的没有想到您會對我這麼關心這麼好！在如今商品化的社會，您這份愛心，讓我感動得不知如何是好？在我情緒最低沉最消極的時候，我無意間向我值得信賴的友人，寫出了一封封信，您是其中一位。我現在有些後悔給您寫那封信了，真的！我没有想到您會這樣做，這樣的盛情，我怎麼報答得起！

　　現在，我的心态已經恢复正常了，正在努力地工作和學習。我還年輕，不能受一點挫折，就永遠地趴了下去。我已十分感謝文朋詩友們，

瀘州文藝

紛紛對我的關懷和支持，讓我感覺到了，在這人世間，還有這麼多愛護着我的人。我還有什麼理由，不敢面對現實，振作起来呢？

寄来的錢，雖然是您的一片心意，但對於您来說，也不是一點小數目了。我心裡很是過意不去，故您若有需我辦理的事，請盡管吩咐！我一定盡心盡力去做。

最近幾期的《秋水》詩刊上，您的作品似乎在越寫越年輕了，抒情味也更濃了，我正在着手寫一篇欣賞性的文章，發表出来後，我會給您寄来的。只是我怕不能寫好，讓您滿意。

陳藍藍之處，我會立即寫信告訴他已收到匯票，他寫的字，我認得還不是準確，不過我會在郵局查清楚的，放心！

本想通過郵局，給您寄兩瓶中外聞名的瀘

瀘州文藝

州老窖大麴酒，可惜郵局不讓寄，怕有損壞，真是遺憾！不過明年我們將在東北相見，屆時我會帶上的，再請您品賞我的家鄉的特產。

好了，郵局就要關箱了，就暫寫這些吧，

再聯係！

再次表示感謝！

敬祝

一切順利！

濤擁

1992.9.10 敬上

（大陸郵局這個月發行《三國演義》郵票，共4枚，寄上兩枚，加上信封上的兩枚，正好一套，但願您能喜歡！）

141　涂擁先生來函(二)

汪洋萍老師：

　　您好！

　　您的來信，我已經收到好多天，忙于事务，迟复致歉！

　　感謝您一直對我的关心和帮助，我真的不知如何感激为好！我想只有更好地学习和工作来报答。何蔚转来的稿费早已收到，我记得當時给您写了信，现在看来您並未收到此信，讓您牽掛了，真不好意思！

　　前段時間我到一家報社兼职，忙於寫一些新聞，所以創作少了一些。現在我準备調整一下自己，約在十月底，我將在海南的一家金融刊物工作一段日子，届時我會給您寫信的，主要目的是開拓自己的視野，积累生活為更好地創作，總之，我還算較年輕，外出闖一闖，總是會有好处的，您說是嗎？！

　　退休之後，工作輕松了，但您還是應注意多保重身體，讓我們再見面時，您仍然是一副強壯健康的身體，好嗎？

　　面临出發，我也就不多言了，到了海南，我會有信给您。

　　多保重！

敬祝

　　順利

涂擁

1995年10月10日敬上

中国当代作家代表作陈列馆
武汉市东西湖区吴祁街19号（430040）

汪伯：

大著《生命履痕》（4册）及短笺已收到。您近年笔耕不止，佳作迭出，我由衷地为您感到高兴。在此，我代表我的家人，也代表陈列馆的全体同人，向您表示祝贺！

您赠给胡威夫和任错先的书，我已于收到邮件的当天转给了他们。大著中的所有篇什，我都从头到尾拜读了一遍，不仅从中窥见了您的生命履痕，也看到了徐静怡、王牌、墨人、雁翼、麦穗等前辈诗友的生命履痕。更重要的是，这些"履痕"对于我的启迪和暗示，无疑将会影响到我的生命履痕。您的真诚、善良、朴实、坦荡，以及您的社会责任感和对人生、对文学的健康而又端正的态度，

中国当代作家代表作陈列馆
武汉市东西湖区吴祁街19号（430040）

永远值得我学习和敬佩。

若能再次与您同游，将是我的荣幸。

自1993年武汉分手至今已有五个年头了，我时常想起与您和洋拥在西行途中的每一个日子，时常想起您的终生不改的乡音和亲切的谈笑。1993年我最大的收获是，您给我补上了如何做一个好人这一课。而作为一个作家或诗人，这一课该是多么的重要。尤其是在这样一个高度物化的时代。您虽然没有用嘴巴来宣讲，但是，您实际上已经用行动告诉了我这一切。这比语言更有力、更能发人深省。

如果今年您能实现“西南之旅”的愿望的话，我建议您无论如何也要到四川九寨沟、黄龙和海螺沟去看看，普天之下可

中国当代作家代表作陈列馆
武汉市东西湖区吴祁街10号（430040）

能不会再有比九寨、黄龙更美的地方了。那里不惟独美，而且神秘，有丰厚的历史文化底蕴，有鲜明的地域特色和民族风情。那里的雪山、草原、冰川以及原始森林，将会把你带入一个真正的"梦幻世界"或"童话世界"。

祝你
全家幸福、安康！

何蔚
1997年3月10日

《老龄论坛》杂志社

尊敬的汪洋萍先生：您好！

收到来信好长一段时间了，心中一直非常感动，谢谢您及您的家人对我的关爱和祝福。更感谢秋水那些老师，朋友予以我的最深的关心。我真的好感动。

我曾经一直不想再组合新的家庭，以父母、儿子为中心，有书、有文、有笔陪伴，一颗心也就够了。加上九五年又分了新住房，母子两个人有了一套三室一厅的房屋，更是十分安于其间了。一套公家花了万元买的住房，配发给我后，我只需向单位交纳了5千元，就获得了完全产权，从此后，母子俩人可以风雨不愁。

重新走入婚姻，实属偶然，一个10年未见的学生，在听说了我的处境后，执意要来看我，从而为我介绍了现在的先生。那时，我对婚姻简直不敢抱什么希望，一个带着孩子的离异妇女，在大陆想再嫁是非常困难的。刚离婚那一阵，来介绍的人，大多是介绍的机关的干部，他们都一致提出，希望女方没带孩子，仅此一条，我就拒绝不见。我是一个女性，更首先是母亲，我怎能弃子女而不顾，只顾自己的幸福呢？我做不到！！！所以，见我现在的先生

《老龄论坛》杂志社

时，我把儿子带在身边，那是实实在在存在的孩子。先生与我一样，许多年来也一直是一个人独自带着孩子生活，他一直信奉，一个有孩子而将孩子留于他方、留于外婆或奶奶家的女性，不会成为一个好母亲，一个能置亲生骨肉于一边的人，又怎么才能善待他人的孩子呢？由此，通过谈话，我们开始了了解，从而也慢慢地由了解到理解。

再婚的家庭怕什么，一怕经济困难，二怕子女不和。我们都各自拥有一套住房，足以为将来两个孩子成家准备了最基本的最重要的家。经济上，我现在的收入也愈来愈好，每月工资加各种补贴700－800元。先生的收入更好些，负担两个孩子读至大学毕业应该不成问题。家里目前的条件也是十分优裕了。只是我们一直知道节俭是美德，所以不会让孩子大手大脚的。两个孩子相差8岁，发生争执的时候太少，儿子天性文弱一些，也很善良，加上自小随我一人生活，听话、乖顺，只是独立性太差，但也与我寸步不离。孩子小，加上自小没有受到过父爱，一旦有人爱他，

《老龄论坛》杂志社

自然十分友好。与她在的爸爸相处十分融洽，每天都由他爸爸载他至爸爸上班的路口，再坐到我的车上，直接送他上学。孩子需要做一个什么手工活，都是爸爸亲自帮他，手把手教他。洗澡、洗涤都是爸爸亲自为他做。他爱他的爸爸，在他的心目中，他特崇拜他的手巧。在这一点上我很知足了。儿子自幼未曾得到过的，如今得到了。我想做人当以将心相报别人的爱和情谊。

在这个再婚的家中，我和先生彼此十分融洽，凡事相商，凡事相让。和女儿之间，先做朋友，凡她的穿着、吃用一一为她操心，她独自拥有一个大房间，书柜、写字台、电脑机、录音机等一应俱全。床上一年四季为她拆洗缝好。学习上，凡需我能做的一一为她做到。孩子不幸失母，我能当以宽厚、仁爱之心去理解她，体谅她。一个十多岁的女孩，其心理正是多变季节，我当以我的不变、不悔、不为的心和情去爱她，去应付她的变化。既是一个家，那绝不是可以凑和的，更不能计较什么名份。珍惜这份家，这份一个屋檐下共生活的情意，太不容易了。

《老龄论坛》杂志社

我这两年，在诗歌上没有什么样的追求，只是偏爱写一些随笔和游记。上周给静怡阿姨去了一信，告知我的详情，请她为明璐放下那一颗关爱之心了。上周又收到卯平先生的贺书，我也回复书信，望江洋老师见到卯平先生时，转达我的诚恳谢意。

我心中询问江洋的，明年来胡先生定居夏天是太好了，不论在什么地方，我一定会去一拜的。当然如果能来四川，再到三峡，那就更好了。一定邀请您们来明璐家中一坐，一杯清茶，一份四川风味的家常菜，让您们永远不能忘记四川。

请问全家好！祝全家健康、快乐。

祝安好！

学生：明璐

97.4.11.

敬爱的大父、大妈：

您们好！

今天，我们正式放假，终于有时间给您们写信了。隔这么长时间没给您们写信，请谅解。我想您们一定会理解我的：我这个时候是学习知识的最佳时期，时间比一切都重要。但我时时刻刻都在想念您们。

大父，您写的《万里江山故园情》，还有《心影集》我都阅读了一遍，所得收获不浅，开阔了眼界，了解到许多地方的风俗人情，而且对您的光辉业迹了解更深。书中的内容通俗易懂，有真情实感，使人读起来有身临其境的感觉。值得每个人一读。我决定在寒假，还有以后的假日里，将您的这些作品细细地品味，虚心学习里面的精华。您的这一切真是了不起。

您们很关心我的学习，在信中曾多次提到我的学费问题，千方百计想帮助我，亲生父母般地关怀着我我说不出地感激。您们帮助我的已太多太多，使我仍然拥有一个幸福、美满的家庭。您们对我这么好，如今，我怎么好意思再接受您们的帮助呢！我应像大父幼时一样，用自己的双手闯出自己的道路。将来像您们一样周游世界、吟诗作赋。

经过这一年的努力，我各方面较以前都有所提高。这次全省统一的期末考试中，虽只获全校第三名，但从中找到自己的缺漏，知道以后该怎样来弥补。虽取得这点小小的荣誉，但我今后仍要找出自己的不足，去扬长避短，精益求精，争取更大的进步。我要树立雄心壮志，为实现自己的理想，去拼搏、去奋发。长大以后，来回报您们，来回报我辛苦的父母。为国家和民族的繁荣富强做出自己应有的贡献。

我奶奶、母亲都非常想念您们。母亲时常对我和妹妹们说："你们的大父、大妈是我家的恩人，你们永远都要记住他们。"只因她们事务冗繁或文化有限不能给您们写信，只好嘱咐我代她们向您们致以最真心的祝福！

祝：您们全家幸福美满！新年快乐！

一切平平安安！顺顺利利！

侄儿：汪志发

1月30日 夜

2第 页

心靈的呼喚

——「古繼堂詩集」讀後感

我與古繼堂先生在北京、臺北兩地有數面之緣，因見面的場合人多，未及深談，而他謙謙君子的風範，給我留下深刻的印象。當我閱讀過他著作的《臺灣新詩發展史》及由他主編的《臺港澳暨海外華文新詩大辭典》，對他爲促進兩岸文化交流，及世界性全方位發揚中華民族詩學文化的胸襟懷抱，投注了數年心血，完成一部空前的華文新詩大辭典，深感敬佩。大辭典中羅致詩人和詩評家一千餘位，筆者亦忝列其中，並以六百多字介紹我的生平，說我是孫中山先生的信徒，又以七百餘字評介我的《心影集》詩集，說我的詩對生命的詮釋最具深意，使我非常感動。大辭典中所我所認識的詩人和我讀過的詩集，介紹及評述均極平實與中肯。可見主編和編委們高度的責任心和使命感。

古繼堂教授這次是應邀來臺講學，逗留時間較久，我們《三月詩會》十二月份聚會評詩，請他蒞臨指導。他除予以獎勉給我們加油打氣外，還送我們每人一冊《古繼堂詩集》。這本詩集是中國作家協會支持總體籌劃出版《華夏世紀文庫》中的第一輯《海峽詩叢》，於一九九五年九月由北京「團結出版社」出版，「新華書店」發行。作者在後記中說：「在詩歌道路上，歷經了許多成功的喜悅、失敗的痛苦和被誣陷的憤怒，終在血汗的海洋中撈起了這麼一部薄薄的詩集。它雖然很淺薄、很卑微，對別人來說不足掛齒，但對我和我的家人來說，卻是生命、是喜悅、是鮮紅溜圓的心靈之樹上的果實。」這確是一部三十二開本，一百五十四頁的薄薄詩集，但並不「淺薄」，也不「卑微」，而且正氣浩然，光芒四射，是體現他的思想與行誼的結晶。他又在後記中表白他的詩觀：「詩的特點就是美，只有具備豐富審美價值的詩，才是好詩。詩美的內涵有三：一是豐富的情感；二是深邃的思想；三是和諧的音樂感。詩是詩人最敏銳的詩感對客觀的一種感悟和呈現。」我們就以他的詩觀，來欣賞他的詩作，聆聽他發自心靈深處的呼喚。

這本集子裡共收入一百二十首詩，採一條鞭式編排，就形式言可分為短詩、組詩和長詩，從內容看有抒懷、敘事、詠物、寫景之別。以「思索」三十三首短詩啓開詩人的心扉，讓讀者深入堂奧。我摘錄其中三、十、十一、十九等四首，以觀其韻致：

㈢

在大海退潮的地方
我看到失敗者慌亂的心

踏著它丟棄的盔甲殘片
我留下一行驕傲的腳印

(十)

紅色象徵革命
遇到紅燈爲何要停
白色象徵恐怖
潔白爲何又受尊敬

(土)

英雄喚雨
好漢呼風
難道不曾想到
風雨會給世界帶來泥濘

(圥)

千萬聲甜言蜜語
重復著一番愛意
骨子裡卻反覆盤算
吸取我生命的精髓

這四首短詩呈現著他悲天憫人的情懷，不屈不撓的精神，闡揚眞理，護衛正義的心路歷程。

「長安街」這首詩，是他在一九七九年六月寫的，其中有這樣的詩句：

不要說你有紅旗導航河道寬闊，
那妖風迷霧一樣在這裡釀成災禍；
不要說你連接中南海燈塔明亮，
稍有不愼船隊也會遇到暗礁漩渦。
社會主義巨輪擱淺十年的教訓，
難道不值得我們世代沈痛思索!?

這是他在「文革」浩劫後，以沈痛的心情和敏銳的觀察力，透視政治現實，對國家前途和人民福祉的隱憂而發出惕厲的呼聲。

他讚美「果皮箱」這首小詩，只有七行二十八個字，以小見大，以小喻大，見偉大於卑微：

紙屑、果皮、垃圾
你們盡管扔
我都無聲地
一一吞咽

爲了
讓世界
更乾淨

從他「風箏」（之一）中的詩句，就知道他有難展抱負的無奈：

能夠飛上天空，
我十分高興
對你的「恩賜」
我感激涕零。

哦！我並不是一隻自由的鳥，
而是你的欲望伸延擴張的象徵。

他來臺環島旅行，寫了「臺灣風情」組詩十五首，以血濃於水的情愫，寓意深長的筆觸，抒發對寶島的眷戀，其中「蝴蝶谷」是這樣寫的：

飛起來，
一片斑斕的天；
沉下去，
一汪絢麗的湖。

湧動，
似彩色的波濤；
旋落，
像繽紛的瀑布……

哦，飛騰，
是求理想；
旋舞，
爲尋出路

只要心中有個春天，
就不會葬美於峽谷。

一九八七年八、九月間，他應芝加哥大學之邀，赴美參加「臺灣問題國際研討會」，並遊覽了紐約、華盛頓、芝加哥、舊金山等城市，寫了訪美組詩八首，其中「自由女神」這首詩，表達他對自由的讚美與嚮往，而那強烈的暗示，發人深省，耐人尋味：

你將自由火炬高高擎起
贏來了多少人的瞻仰和敬意

但我發現只有那個孤獨的小島
才是你的自由天地
假如你把旗幟插在帝國大廈
會不會引起八級地震？

「征途之歌」是他一九八五年寫的一首二百八十六行長詩，我摘錄其中片段供讀者鑑賞：

啊！出征了，我們
在新的起點上出征；
起步了，我們
在舊的終點上起步。
用血和汗沖開重重障礙，
也不讓歷史血流在我們面前凝固！
我們就是要在黑暗中，
把黑暗驅除。
連著多少人的命運，
繫著多少人的前途。
不洒艱辛汗水，

必抛悲痛的淚珠。

一切歪門邪道都被死死關堵，

在這裡，一切人共用一架天平……

從這些詩句裡，我像似乎聽到了嘹亮的號角和萬馬奔騰，看到了旌旗蔽天，勇士們馳騁衝鋒陷陣；似乎聽到了勇士們凱旋高歌，看到了全民鼓舞迎接勝利。這是詩人滿懷辛酸而夢寐以求的理想，並在全力以赴追求理想的實現。

古教授這本詩集中的詩篇，沒有浪漫的兒女私情，愛呀愛的肉麻詞彙，只有大愛的招喚，正義的吶喊，可以說是一部回顧過去的史詩，也是一部展望未來的前衛詩。以「言近旨遠」，開拓中華民族詩文化的時空領域。筆者不才，直陳心中的讀後感，就教於讀者。

我們的期盼與祝福

──雁翼先生創作五十週年作品研討會獻詞

雁翼先生是我們秋水詩刊的大陸同仁，今年是他創作五十週年，重慶市文聯和四川省作協，將於十月份聯合主辦作品研討會，本刊全體同仁與有榮焉。原擬組團前往參與盛會，表達我們祝賀的心聲，並分享大會的成果。幾經研商，各因公私事務的羈絆，無法成行，謹在此獻上我們的期盼與祝福。

雁翼先生在我們秋水同仁中，論年齡是長者，論詩齡是先進，論著作他那六十四部長短詩、散文、小說和戲劇，是位多產的全能詩人作家，無人能出其右。因時空的阻隔，他的作品我們拜讀並不多，但從近幾年來，他送給我們的「囚徒手記」、「人生悟語」及「雁翼超短型詩選」等這些詩文集裡的作品中，就知他是一位愛國者、一位有使命感的詩人、一位有道德勇氣的文藝工作者、一位致力傳承及發揚中華文化的志士。

他只讀了十三個月的書，失學後懷著滿腔愛國熱忱參軍，在戰鬥中三次負傷成殘，調到後方醫院工作，開始自修，練習寫作，是一位刻苦自學成功的詩人作家。文化大革命期間，他被列爲「反革命文藝黑線的黑詩人」，入獄三年，備受酷刑折磨，憑著堅強的意志，死裡求生。文革風潮過去，獲得平反，他的愛國情操愈益堅貞，發揚中華文化的使命感更加熾熱。他以眞情實感與道德良知從事創作，以救國救民爲出發點，以福國利民爲依歸，他的「商人悟語」第五首詩是這樣寫的：全民經商固然荒唐／總比全民鬥爭／令人歡暢／回望共和國歷史／鬥荒了多少肥田／鬥死了多少善良。文藝作品有沒有價值，在於它的啓發性，能不能使人省思與惕勵。這首小詩，値得執政當局人人熟讀深思，朝夕惕勵。他作品中的箴言警語比比皆是，卻不見討好讀者的假話及流行的廢話。

這次重慶市文聯和四川省作協，聯合主辦雁翼先生作品研討會，我們相信不僅是評論他的寫作技巧，讚揚他的創作成就，肯定他在文壇與詩壇的地位，同時也是要發揚他忠愛國家民族的精神，樹立他以文藝作品關照社會大衆的詩人作家典範，對消除時弊，收潛移默化之功。我們熱切的期盼與衷心的祝福這次研討會圓滿成功。

今年也是我們所敬愛的同仁雁翼先生七十大壽，我們引用四川的老前輩張群先生的名言：「人生七十才開始」，祝福他的文學創作及他經營的文化出版事業，在這個新的起點再出發，開創更遠大更美好的境界。我們翹首企盼，拭目以待！（原載「秋水詩刊」第95期）

為傳統與現代搭起詩的橋樑

——徐世澤先生的使命感

徐世澤先生，是位享譽杏林的醫師，曾任行政院國軍退除役官兵輔導委員會員山榮民醫院院長，因獲臺北榮民總醫院羅光瑞院長的倚重，調院長室秘書兼任「榮總人」月刊總編輯。他接長「榮總人」編務後，將一本傳播醫藥衛生知識的專刊，漸漸變成醫藥衛生與文藝的綜合性刊物，每期都有傳統詩、現代詩及散文作品刊出。那些文藝作品，是另類預防及治療疾病的良方，獲得讀者的喜愛，使發行量大增。

徐醫師沒有煙酒及娛樂方面的嗜好，除了專心臨床醫療工作或行政業務，公餘之暇，潛心於文學欣賞及文藝創作。他擔任「榮總人」總編輯期間，我在輔導會工作，「榮總人」每期都送到我們辦公室供大家閱讀。我也曾從事醫藥衛生工作多年，又剛從文藝圈外踏入文藝圈，對「榮總人」感到特別親切，因此我與徐先生結了文字緣。

我以傳統詩的架構寫些口語化的抒情詩，投寄「榮總人」，那些作品，在嚴守格律的傳統詩人眼裡是不倫不類，徐總編輯卻「另眼看待」，予以接納，讓它面對讀者。

徐先生對傳統詩及現代詩，都有很深的造詣，作品曾在新聞天地、中央日報、成功之路、榮總人、臺灣詩選、世界論壇報等各大報刊發表。曾出版「養生吟」詩集，那是一本傳統詩與現代詩的合集，並經歐美籍教授詩人譯成英文、法文、德文及匈牙利文，在各國刊行。我是個傳統詩詞及現代詩的愛好者，卻不敢自認是詩人，在此評長論短，只想站在讀者的立場，說出自己的感受。徐先生以傳統詩詞的格局，負載現代詩的思維；又以現代詩的形態，表達傳統詩詞的典雅內涵。而且他的作品，沒有虛無、頹廢、詭異的色彩，而是以人性化與生活化，爲文藝創作的訴求，如「養生吟」這首詩：

保健良方笑語頻，意誠心正廣施仁，
均衡營養無偏味，濃烈甘醇少沾唇；
終日勤勞圖報國，清晨運動爲強身，
深謀遠慮創佳績，服務人群多便民。

這首舊瓶裝新釀的七言律詩，意涵著做個現代人應有的修爲，是從科學的醫學及人生哲學凝煉而成。再看他的「白衣天使」——調寄南柯子——這闋詞：

一臉溫柔相
輕盈天使裝
玉人含笑來而往

儀態端莊
親切似冬陽
微笑輕聲說
慇懃問暖涼
上班總爲病人忙
慈善心腸
贏得美名揚

如果拿掉「調寄南柯子」這個詞牌的框框，或不知「南柯子」詞牌的人，吟詠沉思，不是一首韻味十足的現代人所寫的現代詩嗎!?

徐先生民國十八年生，屆齡退休，離開了「榮總人」，解除了公職的羈絆，他的夫人仍是公務員，兒女都已立業成家，也無牽掛、顧慮，自由自在地環球旅遊，觀賞明山秀水，探訪名勝古蹟，探風問俗，體察世情，先後遊歷了六大洲五十多個國家，寫了很多紀遊詩，曾在「乾坤」發表的有：白金漢宮、羅浮宮三寶、巴黎女郎、梵諦岡、龐貝古城等七言絕句，明朗流暢，意象鮮活，如「巴黎女郎」：

自由氣質綺羅身，麗質天生韻味純；
魅力風情多放任，笑談飛眼更迷人。

另一首五言絕句「卡普利島藍洞」：

卡普利藍洞，日光折射濃；

小船穿孔過，妙在不言中。

我低徊沉吟良久，有如身臨其境，沉浸在難以形容的妙趣中，渾然忘我。

他以「冰河」爲題，寫了三首七絕，讚歎冰河的狀貌情趣，又以相同的題材，寫了一首現代詩相比較，同時在「乾坤」第三期刊出。墨人先生爲他的作品評注說：「《冰河》新詩、七絕，乃名醫詩人徐世澤先生，三年內遊阿拉斯加冰河、阿根廷冰河實地觀察後，以在同一時間地點觀察所得印象，用兩種不同形式體裁分別寫成，請編者評比。同一題材，同一手筆的新詩，七絕，無論修詞、氣韻、境界差別都不大，只是新詩一首共一百五十六字，七絕三首共八十四字，少了七十三字。」從墨人先生的評註中，我似乎隱約看到，徐先生在現代詩與傳統詩的鴻溝上，搭起了一座雙向通行的橋樑。

徐世澤先生，現任「乾坤」詩刊的副社長。乾坤詩刊是今年元月創刊，劉炳彝（藍雲）先生是創辦人也是發行人，周伯乃先生任社長，是一本現代詩與傳統詩合編的季刊，爲詩壇開創一個新的局面，是可喜的現象。才出刊三期，已在海峽兩岸及海外獲得熱烈的回響，將爲中華詩學帶入新的境界，拓展新的領域。徐世澤先生進入「乾坤」，會有更多知音與他攜手宏揚詩學，他也會有更多傳世之作在「乾坤」出現。我

們拭目以待，並爲徐世澤先生和「乾坤」祝福。（本文「乾坤詩刊」第四期曾摘錄及改變形式刊出）

中國往何處去？

中國往何處去？這樣一個大題目，要用一千字來表達所見、所聞、所思、所感，說出一篇大道理來，實在不容易。連日來，我在報刊拜讀了多位海內外學者專家的大作，對中國往何處去之類的問題，他們從不同的角度切入探討，從不同的層面分析條述，顯示出中國人的心聲，值得海峽兩岸當局做施政決策的參考。我以愚者千慮之誠，略抒己見，希望能凝聚共識，面對現實，携手同心，邁向中國人的美好未來！

兩岸領導人，在「江八點」、「李六條」中，都宣示了和平統一中國的決心，致中國於富強的治國理念，使海內外的中國人聞之鼓舞。但是，兩岸的關係，卻隨著「江八點」、「李六條」的宣示而日趨緊張，連海基、海協兩會交流協商的管道也被堵塞。弄得雙方橫眉豎眼，劍拔弩張，又回到戰爭的邊緣，並驚動了美國的兩艘航空母艦，險些掀起一場國際性的區域戰爭。關心兩岸關係發展的中國人及鄰近的國家，都憂心忡忡，怕被戰火波及而遭禍殃。

兩岸和平統一，不是單方面一廂情願所能達到目的；致中國於富強，也不是強調夢想就能實現。必須從歷史軌跡與現實環境中，尋找一條彼此可携手並肩而行的道路，才是邁向理想目標的捷徑與坦途。回顧 國父孫中山先生，領導國民革命，推翻滿清政府，創建中華民國，中國原是統一的國家。因國共兩黨政治理念不同，各行其是，導致長期內戰。中共宣傳其「共產主義天堂」的美麗遠景，吸引了貧苦的人民大衆支持，也爭取到一些民主國家政府站在他們那一邊，而贏得那場戰爭，建立了中華人民共和國，中華民國中央政府退守臺灣。從此裂土分治，形成一個國家兩個中央政府，實行「一國兩制」。經過長期實驗，中共在大陸地區推行共產主義失敗，「共產主義天堂」的美夢幻滅；國民黨在臺灣實行三民主義，創造了舉世稱羨的「臺灣奇蹟」，人民安居樂業，生活富足。於今，中共高唱「和平統一」、「一國兩制」，卻不肯放棄「四個堅持」，要將中華民國統治於共產主義制度之下，住在臺灣的中國人，怎麼可能甘心情願接受，也不是海外僑胞和大陸同胞所樂見。

和平統一，是所有中國人的共同目標；民主、自由、均富，是所有中國人的共同理想；通往理想目標的道路，要所有中國人共同努力去開創；從現實到達理想目標，有很長的路要走。國際社會生存競爭激烈，世界局勢危機四伏。切盼兩岸的政治領袖們，發揮大智慧，避禍趨福；敞開胸懷，擴大視野，本血濃於水，唇齒相依的民族情感，禍福與共的危機意識，在現實「一國兩制」的基礎上，各自勵精圖治，彼此互助合作，携手並肩邁向屬於中國人的二十一世紀，一個統一富強的新中國，就會自然滙流而成！

註：中央日報徵文，應徵作品。

消費儲蓄自求多福

國民儲蓄，是國家經濟建設資金的主要來源，而國民儲蓄率，又隨著國民所得及國民消費升降。國民所得減去國民消費，就是國民儲蓄，無論是存在銀行、郵局或其他金融機構，或是投資、置產，都是國家的經濟實力，個人的財富。儲蓄與消費互爲消長，是人生必修的兩大課題。

環顧地球村，現在是經濟掛帥的年代，已開發國家及開發中國家，都在經濟戰場上衝鋒陷陣，追求急功近利，無所不用其極。落後國家人民，卻承受著沉重的壓力，生存於狹隘、悽涼的夾縫中，掙扎在貧病交加的死亡線上。所幸我們中華民國全體國民，在政府正確的領導下，發奮圖強，節約儲蓄，從貧窮落後的困境，一步步擠進開發國家之林，創造了舉世稱羨的「經濟奇蹟」，生活富裕。

在經濟戰場上致勝的兩大策略：一是研發新產品；一是拓展國內外消費市場。生產與消費是經濟成長的一體兩面，大量生產必需大量消費，經濟命脈才有生機，經濟市場才會活絡。於是促銷活動應運而生，花樣百出，例如：贈獎、抽獎、折扣促銷；

誇大新產品的功能與效益；製造流行的風潮；分期付款，先享受後付費，以刺激消費者的購買慾。經不起誘惑的人，就會跌落物慾的陷阱，先求擁有，再換新奇，將很多有用之物丟棄，像這樣浪費的消費，會導致國民的儲蓄率下降。據中央銀行的統計公布，國民儲蓄佔國民生產毛額比率，由民國七十六年的百分之二十點四七下降爲八十四年的百分之十四點零六。經濟學家們預測，消費的狂熱，會使國民儲蓄率繼續下降。

從另一個角度觀察，浪費的消費所造成的負面影響，是人類生存發展潛在的危機。由於追求物質享受，形成奢靡的社會風氣，而忽視了精神文明，以致人性墮落，思想與行爲偏離了倫理道德的正軌，逃避社會責任，使犯罪率逐年升高，犯罪年齡快速下降，所謂「新新人類」，趕時髦流行，尋求感官刺激，爲錢所奴，爲物所役，不顧情、理、法的規範，爲所欲爲，似乎已成爲一種世界潮流。又因浪費的消費，製造了大量垃圾，污染我們的生存環境，如同慢性自殺。

在經濟發展的過程中，所呈現的利弊得失，值得我們警惕與檢討，重新調整我們對經濟成長的觀念與策略，使經濟成長與人的品格同步提升，將經濟發展與人的潛能相結合，創造人類社會眞善美的新境界，才是全人類之福。

現在世界各國追求經濟發展，都在生產與消費這個層面打轉，想藉刺激消費以增加生產，而各出奇招向消費者「洗腦」。不久前女作家林萃芬，以「別讓廣告洗腦成功」爲題，寫了一篇短文，在中央日報「青春掠影」專欄發表，她說：「又到了年底促銷的旺季，爲了掏出消費者荷包，幾乎所有的商家都絞盡腦汁迎合消費者的需求，構築消費者的美夢」，「從多年的生活經驗中，我得到一個寶貴的教訓……每次都受不了廣告的誘惑，忍不住搬回各種用途的『廚房救星』……結果都一樣『沒有用』。」

我有一位老朋友講究穿著，也是經不起廣告的誘惑，每逢百貨公司大減價促銷，他就去選購西裝、襯衣、領帶，經多年累積，現有西裝二十幾套，襯衣三、四十件，領帶數十條，有些迄今未穿戴過。他現已退休，除了參加正式宴會，日常都穿休閒服或運動裝，那些穿不著的高級服裝，把衣櫥塞得滿滿的，想送人找不到適合的對象，丟棄又捨不得，成了心裡的負擔，他常自責浪費，有悔不當初的感嘆。

尤其是健康美容之類的食品、化妝品、藥品，以大版面高頻率出現的誇大促銷廣告，或以老鼠會式的直銷手法，那種誘惑往往難以抗拒。雖有使用者被愚弄或身受其害後，向社會公開投訴，但仍有廣大的消費者「前仆後繼」，與日俱增。前不久，有家百貨公司大登廣告打折促銷，八天營業額高達十一億元。有位顧客一天內刷卡購買四百餘萬元，這其中有多少是浪費的消費啊!?

閩南語資深名演員脫線，曾上電視接受訪問，語重心長地說了一番使人惕勵的話，實不愧爲關懷社會大衆的演藝人員。他自我慶幸，當年生活節儉，點滴儲蓄，謹慎投資，現有逾億元財富，息影後不愁生活，可悠游自在地歡度餘年。他又心存關懷與憐憫那些落魄身陷困境的藝人，而感慨的說：他們之中大多數人都比我會賺錢，但賺得多花得多，沒有儲蓄防飢，置產防老的觀念，生活浪漫，揮金如土。當事業衰退，年紀老邁，窮途潦倒，親友遠離，才驚覺怨嘆世態炎涼，就悔之晚矣。

其實，豈只演藝圈是如此，社會上各行各業中莫不大有人在。我們眼見耳聞，有不少富豪及商場風雲人物，在錢海浮沉大起大落，而終歸沉淪。像脫線節約、儲蓄、投資致富者，在我們社會上也比比皆是。錢財雖是身外物，以正當方法取得的，應加珍惜。俗話說：「金錢萬能」，錢能爲善，也能爲惡。像「慈濟人」經營社會公益事業，錢是不嫌多的；如果花錢買罪惡，錢會使人身敗名裂。

最近，我拜讀了哲學家王邦雄教授的一篇大作，題爲「反樸歸眞的簡樸生活」，深含哲理，我摘錄其中針砭時弊的箴言：「處在後工業文明的當代社會，這個世界似乎什麼都有了……過度的奢侈富足，會讓人對人世間的美好，失去感覺。更貼切的說，名利權勢的身外物，已掩蓋了生命本身，流行風時髦熱的牽引追逐……生命痛失了品格與味道，也失了價値與尊嚴。」王教授對「簡樸生活」的詮釋是：「簡是智慧，樸是生活，而源頭在既簡又樸的心。」這是値得我們深思、探索與登臨的心靈境界。

幾十年來，我一直過著簡樸的生活。我出生於貧苦農家，在飢寒中成長，又生逢亂世，在戰火中漂泊，做過農人、工人、學徒、軍人，最後捧著公務員鐵飯碗安定下來。得以成家生育子女，過著節衣縮食的生活。將子女完成大學教育，各自獨立，成爲社會的健康成員。我屆齡退休多年，靠退休俸維持老夫妻生活，省吃儉用稍有結餘，爲我們兩老各買一個小額人壽儲蓄保險，爲後事預做安排，以免拖累子女。我雖年屆七十，身體尚健，日常以閱讀、塗鴉、參加社團活動、登山、郊遊，定時作息，生活過得自在又充實，忘老忘憂，樂在其中。我眼看現今社會上，有千千萬萬人身陷慾海愁城，難以自拔，而演出一幕幕悲劇，我心餘力絀，愛莫能助。我又深自慶幸，能生活在慾海愁城之外，謹述平生一得之愚，提供社會大衆參考。

註：中華民國加強儲蓄推行委員會八十五年徵文應徵作品。

一生為國民革命奮鬥的今聖

一、前言

宋代大儒張橫渠先生爲他心目中完人所塑造的形象是：「爲天地立心，爲生民立命、爲往聖繼絕學，爲萬世開太平。」千百年來，爲世人所認同與讚頌。帝王將相、英雄豪傑和賢能之士，無不以之爲自我期許的胸襟懷抱與畢生志業；但有幾人能言行一致，終身履踐而成於事功？據我所知，　國父孫中山先生是第一人。

徐佛觀先生在國父百年誕辰紀念文：「三民主義思想之把握」中說：「國父的思想，主要是國父思想的結晶——三民主義，不但發揮了思想上的綜合及辨識能力，概括了三百年來的政治、社會思想，更重要的是他在他的天下爲公的人格之全中把握了『天下之全』，由天下之全以指陳天下之需要與其遠景，並訂出全盤完整的計劃，對人類之全的問題，予以一勞永逸的解決！」這就是對橫渠先生那四句話眞義最好的詮釋，也闡述了國父領導國民革命的宏觀策略及最終目的。

梁寒操先生，追隨國父參加國民革命，研究國父思想，並從事三民主義教學多年，他認爲國父「於提倡近代科學知識與民主思想之外，尤注意維持人類社會永恒之道德倫理。」他推崇國父是中華民族繼往開來的今聖。其實也是爲全人類子子孫孫謀福祉的今聖。

吳稚暉先生在講述國父行誼時說：「他的行誼，約有四點，就有他人萬萬及不到的，就是：品格自然偉大，度量自然寬宏，精神自然專一，研究自然精博。」說國父是位天生的偉人，舉例甚多，謹摘錄一例如下：「他辭了大總統，情願做一個鐵路督辦……他在上海立了一個鐵路督辦辦事處，我也到過好幾次。總是地圖攤滿了一地，自己伏在地圖上，拿鉛筆東畫西畫。凡是鐵路工程的圖書，每間屋裡都堆著，他又要研究到自然精博，決不肯含糊的。」

國父生逢國家民族危亡之時，世界局勢劇變而且危機四伏。他爲國家民族救亡圖存，爲世界人類的永久和平與幸福，赤手空拳，奔走號召，領導國民革命，歷二十餘年，經十次失敗，終於推翻了專制腐敗的滿清政府，建立亞洲第一個民主共和國。創造三民主義、五權憲法的建國藍圖，擬訂建國方略、建國大綱的建國方法與步驟，只要國人齊心努力，在政府領導下，建設一個民主自由、均富安樂的國家，指日可待。進而促進世界大同，人類的光明前途，亦爲期不遠。

無奈國人愚昧，當民國建立之初，贊成革命者，以爲革命已經成功，認爲國父的建國理想太高，不適中國之用，未予積極支持，甚或加以掣肘；反對革命者各懷鬼胎，加以破壞，以致民國成立後，建國工作無法推展。國父在孫文學說自序裡沉痛的說：「余爲民國總統時之主張，反不若爲革命領袖時之有效而見之施行矣。此革命之建設所以無成，而破壞之後，國事更因之以日非也。」建國之良機既失，禍亂接踵而至，袁氏稱帝，軍閥割據，共黨乘機坐大。國父憂勞成疾，於民國十四年三月十二日在北平逝世，臨終還呼喚著：和平奮鬥救中國！

國父逝世已經七十一年了，仍然活在我們的心中。他的浩然正氣，是鼓舞我們的精神力量；他的博愛慈懷，使我們感到無比的溫馨；他留給我們博大精深的遺教，是建設三民主義富強康樂新中國的藍圖與方法，也是指引世界人類邁向永久和平幸福的南針。我們緬懷國父救國救民救世界人類的苦心孤詣，應知自身的責任重大。我們要共同努力，研究國父遺教，宣揚國父遺教，推行國父遺教，使國父遺教的政治理想實現於全國，宏揚於世界，才不辜負這位一生爲國民革命奮鬥的今聖。

二、為國民革命而治「革命之學」

國父一生爲革命而讀書，爲救國救民救世界人類而革命。邵元沖先生在「總理學記」裡與國父有一段對話，邵先生說：「先生平日所治甚博，于政治、經濟、社會、工業、法律諸籍，皆篤嗜無倦，畢竟以何者爲專攻。」國父說：「余無所謂專也。」邵先生又問：「然則先生所治者，究爲何種學問？」國父說：「余所治者乃革命之學問也，凡一切學術有可以助余革命之智識及能力者，余皆用以爲研究之原料，而組成余之革命學也。」國父的知識與學問，博古通今，學貫中西。凡中外人文歷史、地理及經世濟民之書無所不讀，將所吸收的知識，融會貫通，取精用宏，而組成一個「革命學」的思想體系，作爲他革命的行動綱領，以建民國，以進大同的建設藍圖。

當國父革命建國的理想與計劃受阻，他研究其原因，認爲是國民受「知之非艱，行之惟艱」心理之影響，於是著「孫文學說」，從事國民心理建設。國父微言大義，列舉飲食、用錢、作文及建屋、造船、築城、開河、電學、化學、進化等十事爲證，以曉喻國人。說明「知之非艱，行之惟艱」之說，似是而非，「知難行易」才是眞知灼見顚撲不破的眞理。從這十項舉證裡，我們可知國父學識之淵博，解析義理之精微。

國父在以作文爲證裡說：「雖今日新學之士，間有倡廢中國文字之議，而以作者觀之，則中國文字決不當廢也。」「且中國人之心性理想，究其源流，考其利病，始知補偏救弊之方。」「如能用古人而不爲古人所惑，能役古人而不爲古人所奴，則載籍皆似爲我調查，而使古人爲我書記，多多益善矣。」所以國父能博古通今，「爲往聖繼絕學，爲萬世開太平。」

古今中外的許多所謂學者的一得之見，往往是只知其一，不知其二，而以偏概全，自認爲是獨一無二的眞理，固執己見，不容他人置疑。如韓愈在「原道」文裡所說：「其言道德仁義者，不入于楊，則入于墨。不入于老，則入于佛。入于彼，必出于此。

入者主之，出者奴之。入者附之，出者汙之。噫！後之人其欲聞仁義道德之說，孰從而聽之？」馬克思信徒瞿秋白，曾貶損國父說：「孫中山的全部著作，都是雜湊，簡直是一爿雜貨店。」吳敬恒先生就回對他說：「你不識貨，叫他雜貨店。你是中國人，我們中國有所謂集大成，總理就是這個集大成的人物。」

國父不僅不爲古人所惑，不爲古人所奴，亦不爲外人所惑，不爲外人所奴。他研讀外國典籍，取其精華，去其糟粕，正其謬誤，用其精當。他讀盧梭的「民約論」，對他的「天賦人權」說，認爲人是天生平等的，表示不同的見解。國父從人類進化史去考察，認爲民權不是天賦的。因爲人生來就有聖、賢、才、智、平、庸、愚、劣的不平等，只有以服務的道德心，以促進國民在政治地位上的立足點平等，同享國民的權利。不能以平頭的假平等抑制國民才智的發展，而妨礙社會的進步。在研究西方三權分立的民主政治制度時發現其缺失，而創獲五權憲法及權能區分學說。研究馬克思共產主義理論，發現馬氏是個社會病理學家，不是社會生理學家。又以病理爲生理，以病態爲常態。他的以物質爲歷史的重心、剩餘價值說及階級鬥爭論，都是錯誤的。國父證諸人類生存發展的事實，民生才是歷史的重心。人類有不間斷的生存，社會才有不停止的進步，而發明了「民生哲學」。「剩餘價值」是有用的社會份子所共創，不完全是工人的功勞。人類圖生存發展，不能以階級鬥爭爲手段，要以互助合作的方法，共創繁榮進步，同享均富安樂。

國父讀書是勤學求全，過濾求眞，再融會貫通，活用於經世濟民，爲全人類造福。不像有些所謂的學者，短視、偏見，或崇洋媚外，急功近利，譁衆取寵，要搶個意見領袖的頭銜。國父著述「孫文學說」是在民國七年，這時新文化運動正在國內如火如荼，提倡新思想，反對舊道德的口號響徹雲霄。國父在研究人類進化這一章裡說：「作者則以爲進化之時期有三：其一爲物質進化時期，其二爲物種進化時期，其三爲人類進化時期……物種以競爭爲原則，人類則以互助爲原則。社會國家者，互助之體也，道德仁義者，互助之用也，人類順此原則則昌，不順此原則則亡……人類進化之目的爲何？即孔子所謂：『大道之行也，天下爲公』。」由此可知，國父不僅不爲古人及外人所惑，亦不爲主張「全盤西化」的今人所惑，而集古今中外學術思想之大成，構成他博大精深的「革命學」體系。

我十四歲那年，第一次讀到國父原著的三民主義，孫文學說及實業計畫。當時對書中內容並不十分理解，卻印象深刻，常懷在心。半世紀以來不知讀了多少遍，由於年歲的增長及見聞漸多，每讀一遍都有新的體認。於今身處這個擾攘不安，危機四伏的世局中，更覺得國父這些著作的理論與方法，才是人類求生存發展，避禍趨福的捷徑與坦途。我奉勸國人要常讀、熟讀、精讀國父遺教，將國父的智慧與精神融合於我們的血脈中，形成不惑、不憂、不懼的生命力，爲國家民族及世界人類盡一份應盡的責任，才不辜負國父對我們的諄諄訓誨。

我靜觀默察，自第二次世界大戰結束之後，蘇俄領導的共產集團解體以來，人類又陷入另一場無休止的惡性競爭。國際間仍然是強權蔑視公理，弱肉強食，使富者愈富，貧者愈貧。富者追求無止境的物質享受，沈溺樂逸，導致人性墮落，道德淪喪，犯罪率不斷升高。貧者掙扎在飢餓與疾病的死亡線上，沒有做人的尊嚴，更談不上優生及提升人格與素質。這樣的世界人文景觀，不僅是人類的不幸，也是全人類的恥辱。國父是位先知先覺者，曾昭告世人：「有道德才成國家，有道德才成世界。」又在民國十三年演講民族主義，提倡恢復我國固有的忠孝仁愛信義和平的好道德，並且說：「用固有的道德和平做基礎，去統一世界，成一個大同之治，這便是我們四萬萬人的大責任。」這就是國父要「爲天地立心，爲生民立命」。希望政府要堅持國父這一理想，並向全世界宣揚國父追求世界和平及人類幸福的理念與願望。

三、身兼發明家、宣傳家和實行家

國父對人類精神文明的貢獻與啓發，可與牛頓、愛迪生對物質文明的諸多發明相媲美，而且更難能可貴。因爲科學家和發明家研究的對象是物質間的關係及潛在功能，是靜態的，只要觸發一些靈感，抓住一個理論，可以在試驗室裡經過不斷的試驗修正而獲得成功。像物理、化學理論的發明及器物工具的製造，都是日新月異，巧奪天工，出神入化。而人類的精神文明，卻是群衆心靈活動與人際關係互動相結合，而產生的福禍治亂因果的呈現，每個人各有自主性，是動態的，是多變的。只有從研究人性出發，參考歷史經驗，加以推理判斷，以形成典章制度，做爲共同生活規範及行爲模式，而不能憑靈感去任意試驗。像馬克思的共產主義理論，經蘇俄、中共和許多共黨政權國家數十年的試驗均告失敗，造成人類空前的大災難。再者，物質文明駕於精神文明之上，人爲物所奴，爲物所役，亦非人類之福。

國父是一位人類精神文明的發明家。他以天下一家，人類一體的宏觀視野，尋求解決世界人類問題的方法，要使貧者活得有尊嚴，富者活得有意義，拯救那些被壓迫者於水深火熱之中。爲全人類爭取民主、自由、均富是他一生奮鬥的理想目標。

國父說：「予之革命建設也，本世界進化之潮流，循各國已行之先例，鑑其利弊得失，思之稔熟，籌之有素，而後訂爲革命方略，規定革命進行之時期爲三：第一、軍政時期；第二、訓政時期；第三、憲政時期。」先總統　蔣公繼承國父遺志，領導國民革命軍北伐成功，完成全國統一，至抗日戰爭爆發之間的十年，政府推行訓政時期的政治、經濟、教育及社會建設，突飛猛進，歷史學者稱爲「黃金十年」。不幸對日本八年長期抗戰，使國家建設功敗垂成。中央政府遷臺後，繼續推行國父的革命建國政策，創造了「臺灣奇蹟」，與共產主義試驗失敗，成了鮮明的對比。並成爲亞非及中南美一些開發中國家爭相效法而績效卓著。這證明國父的建國理想不僅適用於中國，也可實行於世界，可說是放之四海而皆準。

國父研究人類社會的文明進化，是「成於三系之人：其一、先知先覺者，即發明家也；其二、後知後覺者，即鼓吹家也；其三、不知不覺者，即實行家也。」國父是一位人文科學的大發明家，最重要的發明是能解決全人類問題的三民主義。他在演講三民主義時，旁徵博引，深入淺出，條分縷析，務使聽者清楚明白，如解釋「主義」一詞說：「主義是一種思想，一種信仰和一種力量。大凡人類對一件事，研究當中的道理，最先發生思想，思想貫通以後，便起信仰；有了信仰，就生出力量。」又爲三民主義下了一個定義：「三民主義就是救國主義」，接著說：「因三民主義係促進中國之國際地位平等，政治地位平等，經濟地位平等，使中國永久適存於世界，所以三民主義就是救國主義。」宣傳一件事情，首先要使人聽得懂、看得懂，更重要的是與聽衆、讀者或觀衆的切身利害有關，才能產生宣傳的效果。國父又用比喻說：「我們的三民主義，便是很像發財主義……我們爲甚麼不直接講發財呢？因爲發財不能包括三民主義，三民主義才可以包括發財。」國父用類似生動活潑而具有吸引力的言詞，宣傳他的革命理念處處可見，國父眞是一位偉大的宣傳家，所以能「鼓動風潮，造成時勢」，一舉推翻滿清。

國父也是一位革命實行家。他在孫文學說「有志竟成」這一章裡說：「由立志之日起至同盟會成立之時，幾爲予一人之革命也。」在同盟會成立之後，國父周遊歐美各國，聯絡華僑社會之愛國人士，吸收革命同志，發展革命組織，奔走各方籌措革命經費，結交各國朝野賢豪，尋求支持中國革命，爲建國後外交鋪路，席不暇暖。。又爲革命軍事起義，身先士卒，親冒鋒鏑。

國父一生爲促進人類精神文明，身兼發明家、宣傳家和實行家，在人類社會上立言、立德、立功的貢獻，將永垂不朽，像一盞明燈，引導著人類子子孫孫，向和平安樂的大道邁進！

四、中國失去一次致富圖強的好機會

第一次世界大戰結束後，國父想利用歐美各國戰時生產武器及軍用物資工廠之資金、設備、技術及管理人才，共同開發中國資源及發展實業，以解決戰後經濟蕭條、工人失業等問題，使雙方各蒙其利，防止國際間商戰之危機，促進世界永久和平。這是國父的「人格之全」，以解決「世界之全」的問題，又一次體現。

國父在「實業計畫」序文裡說：「歐戰甫完之夕，作者始從事於研究國際共同開發中國實業，而成此六種計畫。蓋欲利用戰時宏大規模之機器，及完全組織之工人，以助長中國實業之發達，而成我國民一突飛之進步；且以助各國戰後工人問題之解決。」又在「英文本實業計畫序」譯文中說：「余之所以如是其亟亟者，蓋欲傾其綿薄，利用此絕無僅有之機會以謀世界永久和平之實現……不觀夫巴爾幹之往事乎？暴徒之彈朝發，世界之戰夕起。今後中國問題，其嚴重殆十倍於巴爾幹，此問題一日不解決，則世界第二次大戰之危機一日不解除；則其戰區之擴大及戰鬥之猛烈，尤非第一次所可比擬。」國父對世界大局之剖析及其演變的因果，洞燭機先，曉喻世人，無奈世界各強國的政治領袖們冥頑不靈，不知趨福避禍，國父的警語不幸而言中，人類又連遭浩劫。

「實業計畫」中的六大計畫，以交通建設爲主，包括興建北方大港、東方大港、南方大港及西北、西南、中央、東南、東北、高原等六大鐵路系統，整治內陸河流的水路交通，開發水陸交通沿線的新市鎭及興建沿海商埠及漁業港，移民東北、蒙古、新疆、西藏，以墾殖實邊，發展食、衣、住、行及印刷工業，開發礦藏及設立機器製造工廠。細讀這六大計畫的全文及圖解，就知國父對全國地理形勢、資源分布及人文現狀觀察入微，瞭如指掌。對六大計畫規模設計之宏偉，細部規畫之精密及進行步驟顧慮之周全，眞是殫精竭慮，令人歎服與景仰。我在「近代中國出版社」民國七十八年出版的「國父全集」裡「實業計畫」附錄中看到，國父於民國十年親自繪製的那幅「中國鐵路全圖」，除一目了然的縱橫綿密的鐵路交通網，我也意識到那也是一幅隱形的國防建設藍圖。

但國父並不以其計畫爲完美，他在「實業計畫」序文裡說：「此書爲實業計畫的大計方針，爲國家經濟之大政策而已。至其實施之細密計畫，必當再經一度專門名家之調查，科學實驗之審定，乃可從事。故所舉之計畫，當有種種變更之改良，讀者幸毋以此書爲一成不易之論，庶乎可。」國父這種虛懷若谷，謹愼從事，不眩耀自己的風範，値得當今執政者效法。

對於這個偉大計畫的推行，國父主張採國營及民營雙軌制。「凡事物可以委諸個人，或較國家經營爲適宜者，應任個人爲之，由國家獎勵，而以法律保護之。」以輔導民營企業之發展。「其不能委諸個人及有獨佔性質者，應由國家經營之。」以防滯礙計畫之進行及私人壟斷。並規定「受雇於中國之外人，任經營監督之責。而其條件，必以教授訓練中國之佐役，俾能將來繼承其乏，爲受雇於中國之外人必盡之義務之一。」也就是要做到技術轉移，培養本國技術人才，使技術在國內生根，不長期依靠外人。又提出四大原則：「一、必選最有利之途，以吸外資。二、必應國民之最需要。三、必期抵抗之至少。四必擇地位之適宜。」標示主權在我，以防受制於外人，或因人成事，增加成本或損及計畫之效益，興利除弊，設想周到，掌握先機防患未然，非有如國父這樣大智慧者，是難以及此。

當國父這一偉大計畫公諸於世，在國內受到普遍歡迎，也獲得歐美各國朝野人士的肯定與讚揚。但因國內政局不穩，軍閥割據稱雄，國父領導的革命政府，未能掌握全局，計畫無法推行，中國失去了一次致富圖強的大好機會，是中國人的悲哀，也是全人類的大不幸。

大陸淪陷，中央政府遷臺之初，政府歲計入不敷出，出現嚴重的財政危機，幸有臺灣海峽的屏障，政局尙稱安定，政府實施一個接一個四年經濟計畫，鼓勵農產品加工出口。成立加工出口區，輔導中小企業發展民生工業，獎勵僑外商投資，聘用國外科技人才發展高科技產品，以及以交通建設為主的「十大建設」，帶動了臺灣經濟起飛，，創造了「經濟奇蹟」，可說是「實業計畫」具體而微的實現。我想，這是先總蔣公和經國先生受了國父「實業計畫」遺教的啓發與感召所致。

五、「臺灣經驗」的省思

國父想以三民主義、五權憲法的建國藍圖，「建設一政治最修明人民最安樂的國家，爲民所有，爲民所治，爲民所享」，再以中國人的聰明才智及中華民族愛好和平的好道德，去促進世界大同，使全人類過和平安樂的日子。國父建國的美好計畫，被軍閥、列強帝國主義者及共產黨的阻撓與破壞，無法實現。中央政府遷臺後，有一較長時期的安定局面，雖偈促邊陲一隅，又受海峽對岸的軍事威脅，國際間恐共姑息逆流的干擾，在先總統蔣公的領導下，軍民團結一心，以建設臺灣爲三民主義模範省，做共同努力的目標。經過幾十年的艱古奮鬥，創造了「臺灣奇蹟」，將一個缺乏資源的貧窮海島，建設成一個傲視全球的均富國家。這證明了三民主義、五權憲法的政治制度的可行性及優越性；不像共產主義的夢幻天堂，經長時期大規模的廣泛實驗，都成爲共產主義的人間地獄。

我們在臺灣實行三民主義雖有輝煌的成就，據我個人的體認，三民主義的優越性，尙未完全發揮出來，與國父理想中的「政治最修明人民最安樂的國家」目標，還有很長的路要走，我們不能驕傲自滿，要再求精進，尤其值得我們警惕與檢討的：近幾年來，在政治層面所表現的品質，有倒退及惡化的現象，而且在惡性循環加速運轉。若不及時扭轉此一頹勢，前途實堪憂慮。我希望我的看法是杞人憂天，卻是我耿耿於懷的一片愚誠。謹略舉數端，供當政者暨關心國事的人士參考。

㈠**平均地權實施不澈底**。促進臺灣經濟起飛，實施土地改革是主要原因之一。臺灣的土地改革，是實行民生主義的「平均地權」政策。依國父的構想，是以清查土地，由地主申報地價，政府照價徵稅，爲防地主少報地價，政府亦可照價收買；因工商業發達導致地價上漲，漲價歸公，使地利共享，以達平均地權之目的。臺灣的土地改革，是依當時情況，實行三七五減租、耕地放領，以達耕者有其田爲目的。以增值稅取代漲價歸公；但增值稅徵收以公定地價爲準，而公定地價遠低於市價，造成合法逃稅。因此，工商業發達後，地價暴漲，地利飽入私囊，引發土地投機買賣，形成許多大財團，以致社會上貧富差距日漸擴大，不符合民生主義的均富理想，而衍生種種不良的社會風氣與病態。

㈡**民主政治惡質化的惡性循環**。民主政治之目的是要使「政治最修明人民最安樂」。國父主張「權能區分」，人民以選舉、罷免、創制、複決四個政權管理政府；政府以行政、立法、司法、考試、監察五個治權，發揮萬能政府的功能爲人民服務。在政權中以選舉權最爲重要。人民一方面選舉民意代表監督政府施政，一方面選舉各級政府首長領導所屬推行政務爲人民解決問題，增進福祉。選出的民意代表和行政首長，是否賢能之士，以公僕的身分竭誠爲民服務，是民主政治成敗的關鍵所在。臺灣的各種選舉日趨惡質化，在此僅概述其現象。賄選是人人皆知的事實，尤以各級民意代表爲最多。賄選者多爲富豪及地方的惡勢力份子，他們參選之目的，是爲爭取特權，以謀不法利益，或保護其經營不正當行業的生存與發展。民意代表犯重大刑案者屢見不鮮，爲非做歹欺壓善良者難計其數；此外，在民主殿堂的暴力表演，帶領民衆非理性抗爭，以及行政首長的作秀心態，這些行爲表現，對民主政治都是極大的傷害，我們應虛心檢討，立謀改進。

(三)**人性墮落，道德淪喪**。我們的社會受不良政治風氣的誤導，部分人民爲利是圖，爲名是務，貪圖物質享受，奢侈浮華，揮霍無度，不顧倫理道德，失去人性尊嚴，人類的精神文明不受重視，犯罪率不斷升高，犯罪者年齡快速下降。各種傳播媒體以「人民有知的權利」爲藉口，以大標題大篇幅報導犯罪新聞，繪聲繪影，誨淫誨盜的廣告、漫畫處處可見。黑道人物因犯重大刑案，經法院審判執行死刑，有些政客爲其出喪，舉行英雄式的葬禮，媒體爭相報導，而對國家社會有貢獻，其行誼足爲人楷模者的動態，卻很少報導，或在不顯眼的版面，以小篇幅幾筆輕描淡寫帶過。這種揚惡隱善的心理現象，是嚴重的社會病態。國父說：「國者人之積也，人者心之器也，而國事者，一人群心理之現象也。」現在，人民生活在暴力、色情、毒害、燒殺搶擄、綁票勒索的恐懼中，我們怎能以民主自由的太平盛世自我陶醉？我們的民主政治的前途，怎不令人擔憂!?

㈣**人心惶惶，迷信日深**。人民缺乏自信，凡事求神問卜，測字算命，靠神明保佑，請江湖術士指示迷津。如是寺廟愈建愈多，迎神賽會日盛一日，神棍與江湖術士應運而生，大行其道。破壞家庭，引人誤入歧途等傷風敗俗之事，時有所聞。這種迷信，不僅浪費國家大量資源，也會腐蝕人民的創造精神與活力，而淪爲宿命論者，使國家在無形中蒙受重大損失。一些政治人物，爲開拓政治資源，投民所好，違背自己的良心及政治道德，逢神就拜，更加速了迷信的流行。民主政治是要使全體國民發揮智慧，貢獻力量，互助合作，創造自己的幸福及共同的福祉。命運是掌握在自己的手裡。國父說：「就人生對於國家的觀念，中國古時有很好的政治哲學……就是大學中所說的『格物、致知、誠意、正心、修身、齊家、治國、平天下』那一段話。把一個人從內發揚到外，由一個人的內部做起，推到平天下止。」雖不是人人能做到治國、平天下，但可憑自己的智慧與能力，一級級攀升。這不僅是政治哲學，也是人生哲學。我們爲人在世的六尺之軀，百十年歲月，在無窮大的空間及無限長的時間裡，是爲貢獻自己的智慧與能力而來，抑是爲爭名奪利而來？兩種不同的生命價值觀，會產生不同的後果。身爲牧民的政治領袖們，怎忍心讓那些迷途羔羊自生自滅？

六、結　論

我們敞開胸懷，擴大視野，很冷靜很理性的觀察我們寄身的這個世界，存在著三大危機：㈠戰爭危機；㈡地球生態危機；㈢人性墮落危機。每個人只能在這世界上生存一次，爲什麼要受戰爭的苦難與毀滅？從種種跡象顯示，軍事大國的霸權爭奪，宗教意識的對抗，經濟利益的衝突，都可隨時爆發大規模的戰爭。一場核子大戰，也許會毀滅全人類。消弭戰爭危機，以互助合作代替對抗爭奪，應是全人類最明智的抉擇。

地球是人類賴以生存的地方，雖然科技已伸展至外太空，但迄未發現能取代地球的星球供人類安身立命。但人類卻不知珍惜而對它做無情的傷害。科學家們一再提出警告，人類揮霍無度，浪費資源，製造了大量的廢氣、廢水、廢物，人類的保護傘臭氧層被破壞，海洋、河川及土壤被污染，產生全球性溫室效應，冰山溶化，水位上升，陸地下沉，地球像一隻驚濤駭浪中的破船，還能撐到幾時？拯救地球是全人類的當務之急！

隨著物質文明，人性跟著墮落，人類精神文明面臨嚴重的挑戰。已開發國家，無限制的追求經濟成長，鼓勵消費以刺激生產，將有限的地球資源，製成產品，供人們無限度的揮霍，使很多有用之物，變成污染生活環境的垃圾。人們爲追求物質享受及滿足虛榮心，幾乎是不擇手段，無惡不做。這種爲物所惑、爲物所奴的心理趨向，對人類精神文明是嚴重的挑戰，也是人類求生存發展所面臨的重大危機。

人類今日所面臨的三大危機，國父當年已預見，所以提出三民主義，做爲一次解決問題的方案。雖未能及早實現，今日行之仍是人類之福！人類的命運，是掌握在全人類每個人的手裡。要締造一個和平安樂的大同世界，「非不能也，是不爲也」。我們不要忘記，國父孫中山先生曾經叮囑我們，這是我們中國人所應負的大責任！

我們很客觀的來評估今日世界情勢，中國人達全世界人口的四分之一，並擁有四分之一以上經濟實力、文化資產，人力資源及物力資源，更是無與倫比。如果分布在世界各地的中國人團結起來，推行三民主義，促其實現是輕而易舉的事情。

我基於做一個中國人的本分，信仰三民主義的眞誠，呼籲中共扮演團結中國人的龍頭角色，放棄「四個堅持」，宣佈實行三民主義，改「中華人民共和國」爲「中華民主共和國」，聯合臺灣、港、澳及新加坡爲推行三民主義基地，漸次擴及世界各地的華僑社會，再影響當地政府，推行「三民主義世界運動」。宣揚互助合作精神，協助當地人民和政府解決切身問題。以實際行動配合文宣，在各種傳播媒體上宣揚，三民主義的世界運動，一定很快就風靡全球。如果能將世界各國花在軍備競賽的經費，轉變爲民生建設之用，這個世界就會成爲人間天堂。

二十一世紀是中國人世紀，也是三民主義世紀，不是夢想是理想，正等著我們一步一腳印地去實踐。一旦大同世界實現，讚美歌聲四起，國父的英靈一定在天含笑！

註：一、本文是國父紀念館舉辦「中山思想論文比賽」應徵作品，時間是民國八十五年四月。
二、論文主題是「國父生平及國民革命史」，題目自擬。

遺 囑

我立此遺囑，作爲處理我身後事的依據，並向親友告白，以免妻子兒女被責備，沒有情義與孝心，沒有愼終追遠的人倫觀念的誤會。愛、玉珍、玉娟、效聖，務必依我遺囑行事。

一、我死後隨即火化（不經殯儀館化裝等處理），骨灰撒於火葬場附近空地上，稍加浮土掩蓋。不設靈堂、不發訃文、不舉行祭奠儀式、家中不設牌位、不燒紙錢、不作七七！如果死於意外，無論遠近，在當地火化或掩埋，勿將屍骨運回。人死後回歸自然，到處皆宜。

二、我無遺產，存在臺灣銀行少許退伍金及保險費、小額儲蓄保險、支領月退休俸死後的慰問金（或埋葬費）、郵局活期存摺餘額等併計後，一半給妻作生活費，另一半分三份，子女每人一份。三子女對母親要盡孝心，姐妹、姐弟要相互關愛照顧，勤儉持家，與人爲善，規規矩矩做人，實實在在做事，做個堂堂正正的國民。

三、想念我的時候，翻看我留給你們的照片，讀我留給你們的五本書，回憶我們相處時的點點滴滴。照片和書是我生命的化身，好好保存，留給子孫作紀念。

四我幸運的走完人生這條路，進入無憂無慮的虛無世界，直到永遠。我在人世間，歷經艱辛，幸未留下惡名，你們應爲我高興才是，不要難過。

汪洋萍預立於民國八十六年五月卅一日

附錄

附錄：

親感至誠・妙筆生花

——讀《生命履痕》

王常新

《秋水》詩刊的「貴人」汪洋萍先生，近贈散文集《生命履痕》，使我欣喜之餘又生慚愧；因爲數年來承他賜贈多冊詩集和散文集，我卻無以回報。現在，權且以點滴感想形諸文字，算是償還欠他多年的文債。

《生命履痕》一書，分爲兩卷，卷一爲「朋友的足音」，寫的是讀了文友和詩友大作的讀書心得，卷二爲「自己的腳印」，選的是自己在報章雜誌上發表過的抒情、敘事短文。由於這些文章是作者，「也是在書中每篇文章裡出現者的生命履痕」（自序），因此，作者對之有深切的感受和深刻的思想，轉化成文字之後，也就實現了作者的希望：「能使讀者悅目怡情，增進生活情趣與生命活力。」（自序）

在《〈秋水〉，與我》一文中，汪洋萍稱讚涂靜怡說，「涂小姐苦撐著《秋水》，每期出刊，都要付出金錢、時間與精力，對她個人來說，只知耕耘，沒有收獲，他們都是想爲國家民族和社會大衆盡一分文化人的責任。」在這裡，汪洋萍稱讚古丁和涂靜怡盡文化人的「責任」，就是「提升人類精神文明的使命」，就是「傳播益世知識，提倡倫理道德，發揚人類理性」。這種呼聲，在這物質文明突飛猛進，而精神文明日趨萎縮的時代，是有震聾發瞶的作用的。而汪洋萍自己，也是這樣做的，他在《新詩未來的發展問題》一文中說：

> 詩運與國運、世運息息相關，新詩未來的發展，應朝震聾發瞶、淨化心靈、撥亂反正、融合族群，以改善生活品質，提升生命意義的方向發展，開創詩的新紀元，詩人責無旁貸！

他自己的詩歌和散文作品，就是「以愛心去關懷社會、國家及全人類」而寫作的。在《爲墨人先生壽》中，他懷著崇敬的心情，敍述這位寬厚長者的風範：「他爲發揚中華文化，盡這一代文藝工作者的責任而寫作」；在《詩人的情懷》中，他稱讚麥穗「是一位有傳統美德的詩人」，「先天下之憂而憂，後天下之樂而樂」；在《一顆坦蕩的詩心》中，他肯定林齡的詩如其人，「作者懷著感激的心，向携手走過艱辛歲月的妻子，表達眞摯的敬意，也呈現著人類社會眞善美的一面。這正是我們社會大衆所需要的健康的文學與精緻的文化！」在《一位滿身書香的生意人》中，他稱道王牌「發揚中華文化的使命感與責任心」，「能化銅臭爲書香」。這不正是在提升生命意義嗎！

涂靜怡寫了建座「抗戰紀念公園」的文章，汪洋萍深感快慰，因為他也感到「我們愛好和平的中國人民，怎能忘懷日本人加諸我們的屈辱與痛苦？怎能不記取侵略者給予我們的血淚教訓，而發奮圖強，以防止歷史悲劇的重演！」（《「抗戰紀念公園」我的回響》）他的愛國感情、憂患意識洋溢在字裡行間，令人感動。涂靜怡在古丁去世後，傷心欲絕。汪洋萍的同情心油然而生，被一種責任感所驅使，就對涂小姐表示願意幫忙做些事，「為一位愛國詩人分點勞，為一分大衆所喜愛的詩刊盡點力」（《秋水》與我）雖然他謙遜地說沒有為涂靜怡和《秋水》做什麼，但我們從涂靜怡稱他為「《秋水》的貴人」，就可知他為《秋水》默默奉獻了許多心血。這都可看出他懷著博大的愛心！

汪洋萍是一個尊重中華民族傳統美德的人，也是一個具有新觀念的人。在自序中，他引述孔子關於「道」的論述，指出這「道」就是「大道之行也，天下為公」，這「道」就隱藏在每個人的心中，「以誠意為起點，循正心、修身、齊家、治國、平天下的階梯前進，各盡所能，知其所止，止於至善——人類和平安樂的大同社會。」但他又不墨守成規，而是善於適應世界潮流。在《師生這一倫》中，他對古聖先賢把人倫關係分為父子、君臣、夫婦、兄弟、朋友等五倫提出修改意見，指出君臣那一倫因實行民主政治而歸於消滅，教育普及，師生關係對全人類關係至深至巨的事實，建議以「師生」取代「君臣」，建立我們新的「五倫」觀念。作者說「良師興國」，國家的前途掌握在教師們的手裡，「我們怎能忽視師生這一倫呢！」我感覺到作者的眼光非常遠大，能見人所未見。

《節約儲蓄經驗談》是一篇提倡節約儲蓄的文章。在這篇文章中，作者指出「養兒防老」的觀念已經過時，因爲現在不是農業社會，而是工商業社會，兒女長大了無暇也無力照顧父母。不是兒女不孝，而是力不從心。我們做父母的要體諒兒女，要樹立「儲蓄防老」的新觀念，做好生涯規劃，及早節約儲蓄，使自己成爲「有尊嚴而快樂的老人」。這樣的觀察是敏銳的，認識是深刻的。

從以上的引證可以看出，汪洋萍尊崇的是儒家的人生哲學。他既認爲這種人生理想是可取的，又認爲隨著時代的社會條件的變化，可以對人類的五種基本關係進行某些變革。他這種認識由於是經過邏輯分析得出的，因而是全面的、正確的，具有說服力的。

《生命履痕》所選的是抒情、敍事的短文和讀書心得，所以作者根據內容的需要，採用夾敍夾議的筆調，使文章充滿親切、自然、樸實的趣味。

《綴一串花環獻給你——向一個完美的靈魂致敬》，是汪洋萍獻給林玲女士的悼詞。從開頭的一段文字，我們就知道他與林玲素不相識，但他對一個「完美的靈魂愛戴之忱」我們卻感受得很眞切，請看下面這一段文字：

最難能可貴的是，你沒有名利心，一生犧牲奉獻，時時處處關心著別人。你每次陪春生先生返鄉探親，都盡其所有資助貧寒的親友，周濟素不相識陷入絕境的苦人。你在臥病中，還惦記著你先生的四叔《李莎全集》出版的事，你說二十四萬元印刷費，只要你能活到十月，一定能湊足，不然要兒子從你的退休金中支付。太原的張燕雲說，你想回家辦一個小小的養老院，還想助貧興學。你想做的事眞多，卻沒有一樣是爲自己。由此可見，你的心胸多豁達，人生多灑脫！你自知癌症已到末期，卻隱瞞著不肯告訴親友，怕影響他們的心情，爲你傷心難過，而默默地處理身後事，燃燒殘燭照亮別人。親朋好友到醫院探望你，你壓抑著即將永訣別離的內心悲苦，故作歡愉以寬慰他們，樣樣爲別人著想。

在這裡，作者邊敘述、邊議論、邊抒情，通過典型事例的敘述；來表現人物靈魂的完美；而樸實的語言，使得事、情、理融合成一體，極富感染的力量，就像深谷中的潛流一滴一滴滲透出來。

汪洋萍的散文雖爲抒情、敍事一類，但文中也不乏高明的景物描寫，而且做到了情景交融。

《爲墨人先生壽》的第二段，寫作者這次去墨人先生家「老遠我就看到那株枝葉茂盛、伸出牆外的梔子花，盛開著潔白的花朵，像仙子的笑靨，一則爲主人壽，一則以清香迎接嘉賓。」這句話寫得非常精彩，有色有香，既是寫景，又把自己的感情投射到「潔白的花朵」上，寫出作者的感情色彩，流露出濃厚的滋味和情韻。在第五段，作者寫墨人先生書房外的景色是：

> 窗外空曠，視野廣濶，舉目遠眺，青巒層疊，白雲飄忽於群峰之間，是一幅悅目的風景畫，也是一首怡情的詩。從山澗滙成的一條小溪，流經牆腳邊，約在五十公尺處，還形成一個小小瀑布，使人有置身林泉之感。從窗外吹進的微風，帶著大自然的清香，這眞是個寫作的好環境。

這段文字不僅色香俱備，而且動靜結合；不僅寫出了景物的特色，而且意味鐫永。這是物象與心象的融合，是墨人先生性靈的活寫眞。

在《探親之旅》中，汪洋萍寫包公祠這古典林園道：「園內有一小湖，秋水澄澈，有遊客泛舟，湖面上陣陣漣漪，粼粼波光。岸邊柳絮低垂，隨風飄拂，與藍天白雲相掩映，詩情畫意，撩人遐思。」這文字有形的變動，光的閃爍，不僅賦予景物以色彩的形象，而且表現出它的運動，眞正是充滿了「詩情畫意」，是「撩人遐思」的文字。

汪洋萍在《大陸見聞感思錄——〈萬里江山故園情〉自序》中，說他沒有王勃那樣「抒情寫景的生花妙筆，無法將銘刻在心版上的深情美景，很鮮活、很細緻地描繪出來，只能平鋪直敍的，勾勒出一紙輪廓，讓聰明的讀者去揣摩、想像、美化吧！」從上面我的評介可以看出，汪洋萍是在謙虛，他是有生花妙筆的。此外，他所說的「勾勒出一紙輪廓」，也是這本散文集的一大特色，我看就是美麗的「白描」。

在《爲墨人先生壽》中，作者描寫享受壽宴的場面是：

涂小姐眞有一手，不到一小時，五菜一湯的梅花大餐上桌了，色香味誘惑得大家饞涎欲滴，於是大家圍桌而坐，來享受這頓豐富的壽筵。良辰、美景、佳餚，邊吃邊談，連禁酒多年的王牌，和滴酒不沾的涂小姐，都喝了一杯墨人先生自己泡製的「長壽酒」。吃了一個多少時，賓主盡歡。

這段文字，沒有形容，沒有修飾，用很樸實的語言，勾勒出壽筵的輪廓，但從大家饞涎欲滴，王牌、涂小姐也喝了一杯酒，就把「賓主盡歡」的神髓表現出來了。

在《探親之旅》中，作者寫親人歡迎的場面是：「車抵家門口，已有很多人站在那裡迎接，鞭炮一串串響起，妻下了車，大家一擁而上，大嫂、大媽、大奶（奶是祖母）叫個不停，左牽右挽，妻感動得淚珠在眼眶裡打轉，笑得合不攏嘴。」鞭炮聲，呼叫聲，左牽右挽，又哭又笑，寥寥幾筆，就把熱烈歡迎的濃鬱氣氛渲染出來了，眞如一幅不施丹青的水墨畫。

《生命履痕》可圈可點處甚多，「聰明的讀者自去揣、想像、美化吧」！」（本文在「世界論壇報」86年6月6、7兩日連載）

王常新先生現任華中師範大學文學院副教授